구름카페문고·26

호련瑚璉

문학관books

호련瑚璉

●

인쇄일·2020. 10. 5.
발행일·2020. 10. 10.
지은이·류창희
펴낸이·이형식
펴낸곳 | 도서출판 문학관

등록일자 | 1988. 1. 11
등록번호 | 제10-184호
주소 | 04089 서울시 마포구 독막로 28길 34
전화 | (02)718-6810, (02)717-0840
팩스 | (02)706-2225
E-mail | mhkbook@hanmail.net

책값·10,000원

ISBN 978-89-7077-612-5   03810

구름카페문학상 수상자

포정해우·庖丁解牛

 나는 아름다움을 사물이나 관념에 두지 못한다. 내게는
아직 사람이 가장 아름답다. 심성이다. 나의 글은 내 마음
을 상하지 않게 다독이는 글이기 쉽다. 언제든 사람을 중심
에 둔다. 글이 부드러워 마음을 손상시키지 않으며, 복잡하
기는 하지만 재미있어 읽어볼 만한 포정해우·庖丁解牛같은 글
을 쓰려고 한다. 뼈와 살 사이에 있는 틈을 젖히는 칼 다루
는 솜씨를 갈망한다.

코로나 19로 그 이전과 정서가 다르다. 마스크 끼지 않고, 명랑하게 문학과 낭만에 대하여 이야기했으면 좋겠다. 카페를 열어주신 '구름카페문학상'에 감사드린다.

2020년 가을
류 창 희

| 차 례 |

제2장 호 련瑚璉

제3장 체크인 체크아웃

제4장 동지섣달 꽃 본 듯이

호련

瑚璉

제1장

손을 말하다

손으로 말하다

나는 럭셔리하다

나는 럭셔리한 것을 사랑한다. 럭셔리한 것은 부유함이나 화려한 꾸밈에 있지 않다. 그것은 비속卑俗한 것이 없을 때 비로소 생겨난다. 비속함은 인간의 언어 중에서 가장 흉한 말이다. 나는 그것과 늘 싸우고 있다. 진정으로 럭셔리한 스타일이라면 편해야 한다. 편하지 않다면 럭셔리한 것이 아니다. 20세기 패션계에 혁명을 일으키며 프랑스 패션을 세계에 알린 '코코 샤넬'의 스타일이다. 삶의 스타일도 다르지 않다. 럭셔리해야 한다. 그렇지만 비속하면 안 된다.

해 질 녘

　노을빛마저 산 뒤편으로 넘어간다. 게으른 자 석양에 바쁘다더니, 꼭 이 시간에 봐야 하는 숙제도 내일 당장 돌려주어야 할 책도 아니면서, 어둠 속에서 빛을 모으고 있다. 어쩜 빛 속에서 어둠을 맞이하는 나만의 의식일 수 있다. 식구들은 현관에 들어서다 말고 "컴컴한 데서 뭐 하냐?" 매번 타박한다. 혹 '언짢은 일이 있었나?' 염려하는 마음에서다.

　선선한 계절에는 밥솥에 저녁쌀을 안쳐놓고 야산에 오르곤 한다. 기껏 해봐야 중턱을 거닐다 새 소리나 풀벌레 소리를 듣는 가벼운 산책이기 십상이다. 그러나 제비꽃이나 양지꽃 몇 송이를 보며 기다리는 소리는 따로 있다. 건너편 암자에서 들리는 저녁예불 소리다. 마을 창가에 한 집 두 집

불이 켜진다. 불빛에서 저녁밥 냄새가 난다.

내가 살던 고향은 초가지붕 위로 집집이 연기가 피어오르면서 어두워졌다. 뭉게뭉게 솜꽃같이 둥글고 뽀얀 연기는 안동네 기와지붕 위로 올라간다. 장작불을 때는 큰댁 연기이다. 푸르스름한 연기가 가늘게 올라가다 흩어지는 꼴은 우리 집 굴뚝에서 나오는 연기다.

사랑방에서 할아버지의 글 읽는 소리만 들렸지, 장작을 팰 튼실한 일꾼이 없었던 우리 집. 북서풍에 청솔가지로 아궁이에 불을 지피며 엄마는 아침저녁으로 매캐한 연기에 설움을 토해내셨다. 철없는 딸은 연기만 보면 사람보다 밥이 그립다. 구수한 밥, 들척지근한 엿, 풋풋한 쇠죽 끓이는 냄새는 허기를 달래준다.

방안에 등잔불을 켜기 전에 이른 저녁을 먹었다. 잔치, 초상, 제사나 가을걷이 타작하는 날, 섣달 그믐날이 아닌 날에 불을 켜고 밥 먹는 일은 게으른 며느리의 흉 거리다. 밥상을 차리며 엄마는 사랑방에 계신 할아버지를 모셔오라고 한다. 사랑채 앞을 살며시 빠져나가 "할아버지, 진지 잡수세요" 외치며 방앗간 동네로 달음박질쳤다. 안동네와 달리 타성바지 아이들은 늦게까지 놀 수 있다. 그 동네 어른들은 밭일이나 나무하러 가서 저물어야 돌아오기 때문이다. 고무줄놀이하는 아이들의 노랫소리가 신이 났다.

어둠은 고깔모자처럼 꼬맹이들 머리 위까지 덮어씌우려 한다. 손녀딸만 셋을 키우는 성정이 불같은 복이 할아버지가 키보다 훨씬 높은 나뭇짐을 지고 밭을 가로질러 오신다.

"말만 한 지집아들이 다 저녁때 가랑이를 벌리고 껑중거린다"며 작대기를 휘두른다. 정작 고무신을 벗어놓고 펄쩍펄쩍 뛰놀던 아이들은 다 도망가고, 구경하러 갔던 콩만 한 계집아이 혼자만 잡혀 혼쭐이 난다. 할머니는 나를 앞세워 경黥을 치러 간다. 그런 날, 달빛 아래 할머니와 손녀딸은 밤마실 동지가 되어 돌아왔다.

여행길 뉘엿뉘엿 석양을 뒤로하고 숙소를 찾는다. 낯선 마을에 들어설 때, 혹은 집으로 돌아올 때, 나는 늘 후렴처럼 되뇌는 소리가 있다.

"음~, 음~ 좋아, 좋아."

스르르 안온한 감정에 무르익어 내는 꽃 신음이다. 어스름에 무작정 취한다. 딱히 고달플 것도 없는 날들인데, 나는 늘 어둠이 내리는 시간이면 쉬고 싶다. 낮에 지나치게 많이 한 말, 욕심에 종종걸음치던 발자국들을 다 덮어줄 것만 같다.

해가 지면 할머니도 아들을, 엄마도 아버지를 더는 기다리지 않았다. 별 문단속이 없던 시절, 개 짖는 소리는 오히려 마음을 불안하게 한다. 밤손님은 낯선 사람일 뿐이다. 등잔불 밑에서는 하던 일을 멈추고 옛날이야기를 듣거나 이불 속에서 발장난을 쳤다. 어릴 때의 습관처럼 지금도 나는 밤이 편안하다. 기다림이 끝난 것이다.

어떤 이들은 생각을 모으는 일은 밤이 되어야 할 수 있다고 한다. 책상 앞에 앉아 까만 밤을 하얗게 지새우면서 글쓰기도 한다는데, 해 떨어지고 난 다음의 나는 도무지 생산적이지 못하다. 오죽하면 입시생 어미 시절에도 9시 뉴스도 보지 못하고 잠을 잤을까.

어떤 심리학자가 '생애 최초의 기억이 그 사람의 정서情緒'라고 했다. 나의 밑그림은 어스름한 저녁 무렵, 부엌과 뒷간 사이에 내가 앉아있다. 모락모락 뜨거운 메주콩을 찧는 절구통 옆이다. 절구통 밖으로 튀어나오는 콩알을 주워 먹는 애틋한 정경이다. 절구질하는 엄마와 작은어머니 옆에 한 덩이씩 손으로 메주를 주무르는 할머니도 보인다. 어슴푸레 고즈넉한 수묵화다.

딸은 엄마를 닮는다더니, 엄마도 어둠이 내리는 저녁 무렵을 좋아하셨나 보다. "엄마, 어떤 커피 드실래요?" 물으니 "커피면 커피지, 무슨 커피?" "아니요, 헤이즐넛 드실래요,

믹스커피 드실래요?" "나, 나는, 해 · 질 · 녘 마실란다."
"하하하" "호호호" 글 쓰는 딸의 엄마는 커피 빛깔도 해 질
녘이다.

아버지의 방

내 마음속에는 아버지의 방이 없다. 열 수 있는 문고리와 외풍을 막는 문풍지가 있었는지 아랫목은 따뜻했었는지 알 수가 없다.

어느 수필가는 아버지의 서재에 꽂혀 있는 책을 보며 자랐다고 했다. Y선생은 딸과 사위가 우산을 받쳐 들고 나란히 집으로 오는 모습을 마음의 벽에 걸었고, J씨는 대학시험에 떨어지던 날 '어이구 가서나야' 하며 돼지고기 반 근을 사온 아버지의 사랑을 온전한 한 근으로 마무리했다. 시를 쓰는 J선생은 화가라는 호칭으로 전시회도 여는데, 미술을 하고 싶어 방황하던 여고 시절, 완고한 아버지가 자신을 방에다 가둬놓고 감시를 했었다고 한다.

이렇게 가끔 아버지에 대한 이야기를 들을 때, 혹은 아버지의 사랑에 대한 글을 읽을 때, 나는 참으로 생소하다. 아버지의 이름을 알고 아버지의 얼굴도 아는데, 아버지의 마음은 모른다.

아버지의 마음은 어떤 것일까. 푸근하고 근사한 아버지라면 더욱 좋겠지만, 야단치고 때리고 가둬놓는 아버지라도 느껴보고 싶다.

얼마 전, 아들의 하숙방을 잡아주고 전문회사가 설치하는 인터넷 선을 연결해준다는 핑계로 컴퓨터를 들었다 놨다 시간을 끌더니, 다 큰 자식 어깨를 끌어안고 눈시울을 적시던 남편의 모습이 아비의 마음인가 하고 부정父情을 가늠해본다.

그 마음을 짐작하기란 막연하다. 내가 "아버지!" 소리 내어 부른 적도 아버지가 내 이름을 불렀던 기억도 없다. 그렇다고 아버지가 아예 없었던 것은 아니다. 호적등본에도 생활환경조사서에도, 심지어는 내 결혼식 사진에도 언제나 있을 곳엔 아버지가 다 있었다.

아버지를 처음 봤던 기억은 하늘색 코로나 택시에서 내리는 모습이었다. 대절 택시가 마을에 들어오면 아버지가 오신 것이고, 택시가 안 보이면 떠나신 것이다. 바람처럼 왔다가

구름처럼 사라졌다. 늘 그런 식이었다. 함 받던 날도, 결혼식 날도, 객지에서 저세상으로 가시던 날도, 이미 없어지고 나서야 가신 걸 알았다.

오며 가며 뵌 날을 손가락으로 꼽아 보라면 제법 있었으나, 어떤 이야기를 주고받은 적은 없다. 이야기는 고사하고 서로 눈을 마주친 적도 그다지 기억이 없다. 아버지는 나와 눈이 마주칠 것 같으면, 언제나 다른 곳을 바라보셨다. 무엇이 딸의 눈을 바로 바라볼 수 없게 했었는지, 눈길을 피하던 아버지의 모습이 마음에 걸린다.

나의 눈은 쌍까풀이 지고 속눈썹이 길다. 개구리 소년 왕눈이처럼 부리부리 큰 눈은 아니며, 바비인형처럼 초롱초롱 반짝이는 깜찍한 눈도 아니다. 눈꼬리가 축 처지고 눈동자는 갈색으로, 그냥 오래도록 쳐다보고 있으면, 괜히 눈물이 고이는 측은한 눈이다.

내 눈은 아버지를 닮았다. 어렸을 때, 동네 언니들은 내 속눈썹 위에 성냥개비를 올려놓고 손뼉을 쳤다. 난 그때마다 눈을 깜빡거리지 못해 눈물을 흘리곤 했었는데, 그 놀이가 제일 싫었다. 그리고 너희 아버지 눈을 닮았다고 말하는 어른들 앞에서 흉이려니 하고 늘 울었다.

국민 배우라고 불리는 안성기나 장동건처럼 쌍꺼풀진 눈

을 좋아하지 않는다. 그런 눈은 남에게는 부드럽게 보일지 모르나, 어쩐지 처자식을 놔두고 사라질 것만 같다. 눈길이 선한 남자보다 차갑고 예리한 눈매의 남자가 좋다. 다행히 두 아들은 남편을 닮아 가늘고 긴 눈을 가졌다.

나는 불혹의 나이를 넘으면서 미인이라는 말을 자주 듣는다. 물론 호들갑을 떠는 사람들이 미용 일에 종사하는 사람들인 걸 봐서는 상술인 줄 뻔히 알지만, 몇 번을 들어도 참 듣기 좋은 소리다. 그러나 얼굴 전체를 보고 말하는 것이 아니다. 결국, 눈매가 예쁘다는 말이다. 아버지 때문에 빚어진 속 그늘을 그들은 칭찬한다.

길게 늘어진 속눈썹 주름 속에는 물안개 피어오르는 호수가 있다. 그 호수에는 평생을 혼자 지내시며, 우리 남매를 반듯하게 키워 준 가련한 친정어머니와, 어려웠던 생활 속에서도 군자와 같이 꿋꿋하게 성장한 남동생이 연꽃처럼 피어 있다. 우리가 '아버지 부재중'에 울타리 없이 살아온 세월을 생각하면, 어느새 마음에 물결이 인다. 까닭 없이 잘 우는 버릇도 그 호수의 수심이 깊기 때문일 것이다.

어쩌면 방랑시인 김삿갓도 눈이 크고 속눈썹이 길지 않았을까. 아버지는 김삿갓의 행운유수行雲流水와도 같은 방랑벽을 닮았었다. 가정에 정착하지 못했던 아버지는 술 한 잔에

시 한 수를 읊는 작품집을 남겨 놓지 못했을 뿐이다. 혹, 나와 동생이 아버지가 남겨 놓은 시 한 수는 아닐는지…. 우리 오누이는 누가 뭐래도 그윽한 눈매로 세상을 바라보며, 동생은 건축 미술을 하고 나는 글을 쓰며 살고 있다.

나이가 들면서 점점 아버지가 그립다. 온화한 마음으로 눈자위의 그늘을 걷어 내고 '아버지의 방'을 마련해 드리고 싶다. 아직 마음을 활짝 열어 따뜻한 방을 꾸밀 수야 없겠지만, 그 방을 데울 장작개비를 모아보자. 속 좁은 소견머리로 여력이 없다면 생솔가지면 어떤가. 잘 타지 않아 매캐한 연기로 눈물이야 나겠지만, 자꾸자꾸 군불을 때다 보면 아버지의 온기를 느낄 날도 있지 않을까.

매실의 초례청

춘설 분분한 가운데, 연분홍빛 소녀의 얼굴로 은은한 향을 풍기던 매화.

어느덧, 매실이 되어 우리 집에 오게 되었다. 매실을 준비하는데, 오래전 초례청에 들어서던 동갑내기 우리 부부를 보는 듯 마음이 설렌다. 배가 볼록한 오지항아리는 매실의 초례청이다.

나는 주례를 맡았다. 신랑·신부 맞절을 시키듯, 청실홍실을 다루듯, 매실 한 켜 설탕 한 켜 비율로 차곡차곡 항아리에 넣었다. 축하세례로 남은 설탕을 초록 매실 위에 하얗게 뿌리고, 마지막 절차는 초야를 치를 합방만 남았다. 혹, 불길한 기운이라도 스밀세라, 한지로 항아리 아가리를 딱 붙였다. 신방인 셈이다. 목화솜처럼 뽀얀 새 이부자리 위에 축사로 매화 송이를 그릴까 하다가 붓을 들어 퇴계 선생의 시 한 수를 적었다.

홀로 창에 기대니 밤빛이 차가운데 / 매화 가지에 둥근 달이 걸려 있네!
소슬바람을 새삼 불러 무엇 하랴 / 맑은 향기 온 집안에 가득하다.

첫날밤은 몰래 들여다보는 객이 있어 긴장감이 돈다. 숨소리를 낮추고 손가락에 침을 발라 문창호지를 뚫어야 서둘러 불이 꺼진다. 솜털 보송보송한 새파란 고것들이 무얼 안다고, 나는 시 한 수 바치는 것으로 할 일을 다 했다고 안심했었는지.

진작, 한 이불 속에서 같이 잠들고 일어나는 부부의 자연스러운 모습을 보고 자랐더라면 좀 나았을까. 병풍 뒤로 드나들며 뒤집어 주고 저어 주어 신혼 방의 화촉쯤은 밝혀 주었어야 했다.

아버지는 타지에 나가 계시고 엄마와 나는 한방을 썼다. 엄마는 등잔불 밑에서 저고리 섶이나 버선코를 날렵하게 빼

내어 인두로 꼭꼭 누르고, 할머니는 화롯불을 쬐며 아귀가 맞느니 안 맞느니 타박을 하셨다.

고모가 친정나들이를 오면, 대청마루에서 스스럼없이 고모부의 귀지를 파내준다. 서로 그윽하게 바라보며 손장난을 걸면 고모는 간지럽다며 콧소리를 냈다. 지극히 정상적인 부부의 모습이었건만, 그 당시 나는 기분이 언짢았다. 고부간의 부덕婦德만 보며 자랐지 부부간의 부덕을 본 적이 없었으니.

내가 결혼할 때 "사내 녀석들은 마음만 바쁘지, 손이 어줍으니 살짝 뿌리치는 척하면서 도와줘야 하느니라." 누가 넌지시 한마디만 일러 주었더라도, 그렇게 오래도록 남편을 애터지게는 안 했으리라. 온몸을 감싸 안고 근처에 얼씬거리지도 못하게 하였으니. 아내가 워낙 수줍음을 타다 보니 그런가 보다. 아이를 낳으면 나아질까, 둘을 낳아도 그 버릇이 고쳐지지 않자 근본적으로 이성을 싫어하는 여자로 오해를 받았다.

유두가 봉곳해질 소녀 시절, 동구 밖 울타리도 사립문도 없는 외딴집 초가지붕 위로 박 넝쿨이 올라갔다. 밤이면 박꽃이 하얗게 피어 마당을 환하게 비췄다. 우리는 숨소리를 죽이며 뒤꼍으로 돌아가 나지막한 굴뚝 위에 호미를 걸어놓고는 냅다 뛰어 개울 건너로 줄달음쳤다.

동네의 개 짖는 소리도, 물 흐르는 소리도 고요하다. 방아깨비가 긴 다리를 어기적댄다. 알록달록 무당벌레가 업은 듯 포개어 지나가고, 물잠자리도 덩달아 서로 꼬리를 맞대고 주위를 맴돈다. 대낮의 햇볕이 진공상태처럼 답답하다. 매듭 풀잎을 뜯어 손끝으로 잡아당기니 오린 듯 암수부호(♂♀)로 쪼개진다. 머지않아 댓돌 위에 아기 고무신이 놓이리라.

어떤 이는 매실을 안이 훤히 들여다보이는 유리 항아리에 담아 놓고, 밤이면 앞 베란다에 내놓았다가 낮에는 뒤 베란다로 옮겨 검은 천으로 가려준다고 한다. 그래야 수줍음을 감추고 마음 놓고 애무를 즐겨 향기로운 매실즙이 된다나.

"하이고~! 별꼴 다 보겠네. 매실이 무슨 수줍음이 있능겨. 그거 말짱 헛것이여. 아, 그 김치 항아리에 넣는 두꺼운 비닐 봉다리 안 있소. 거기다 매실과 설탕을 대충 때려 버무려 서너 겹 단단히 묶어 마루 귀퉁이에 처박아 놓았다가, 오며가며 발길질로 냅다 걷어차 보소. 뒤굴뒤굴 굴러다니며 제절루 삭는 것을. 그게 제일 맛좋은 매실즙이지. 겉멋이 뭐 필요 있능겨."

그렇다. 바로 그것이다. 환한 대낮에 길거리에 나와 "그래, 너 죽고 나 살자." 언제 서방 노릇이나 제대로 했느냐면서, 앞가슴을 풀어헤치고 바짓가랑이를 부여잡고 피멍이 들도록 싸우는 부부들을 보았었다. 저러면서 왜 살지 싶어도 그들의 악다구니는 절절한 사랑가였다. 밤이면 상처까지 보듬어 안아주고 아침이면 배시시 웃으며 보약 달이는 아낙네들의 삶에서, 짓물러 터지고 곰삭는 진한 부부애가 샘솟는 것을, 내 어찌 알 수가 있었으리.

가끔 항아리 뚜껑을 열어 보았다. 한지에 노르스름한 물이 배여 눅진하게 올라오는 기운이 내 기분까지 무르익게 했다. 아직 날짜가 있으니 기다려야지. 두어 달이 지나 드디어 개봉박두! 가슴이 쿵쿵거린다.

봉함을 뜯었다. 매실들이 쪼글쪼글 액은 다 빠지고 씨와 껍데기만 남았다. 건더기를 다 건져냈다. 어쩜 내 인생도 요렇게 성공적일 때가 다 있다니 신통하기도 하지. 흥에 겨워 국자를 휘휘 젓는데… 이 무슨 조화일까, 아직 비녀와 옷고름은 풀지도 못한 채 속곳부터 벗기려 했는가. 설탕이 몽땅 기진맥진하여 항아리 밑바닥에 굳어있는 것이 아닌가. 밤마다 실랑이만 벌이다 날이 밝은 게 틀림없다.

초례청에 들여만 놓으면, 저절로 거문고와 비파가 부부의 금슬琴瑟을 연주하는 줄 알았다. 매실도 제 생긴 대로 제 사랑 방식대로 다루었으니. 공연히 고매한 매화 시를 쳐다보기 민망하다.

　주례자의 객기만 홀로 소슬바람을 불러 본들.

꿈꾸는 크레숑

"안녕하세요? 저는 큰옷 사서 줄여 입는 아줌마예요."

전화하니 다 되었다고 찾아가라고 한다.

나는 예나 지금이나 옷을 무조건 한 치수 큰 것을 산다. 그 덕분에 옷이 작아서 입지 못하는 경우는 드물다. 비록 이삼십 년 유행은 지났어도, 왕년에는 제법 주름 잡힌 족보가 있는 옷들이라 장롱을 지키고 있다.

가끔 꺼내어 소매를 떼어냈다가 붙였다가, 별짓을 다 내본다. 그러나 나의 솜씨라는 것이 버젓한 옷 한 벌이 되는 적은 드물다. 그 짓도 돋보기 끼고 바늘귀 꿰는 것이 귀찮아 뜸해졌다. 그보다는 요즘 알맞은 수선집을 찾았기 때문이다.

아파트 상가 안에 서너 평 남짓한 작은 공간이다. 벽 쪽에는 재봉틀이 있고 문 쪽에는 다리미 대가 있다. 바늘 실 자가위 다리미 인화낭자 감투할미 규중閨中칠우들이 다 있다. 수북하게 쌓아놓은 일감, 수선을 마쳐 걸어놓은 옷, 〈뉴패션〉을 선도하는 디자인 책 서너 권 등. 좁은 공간이지만, 한 자락 천만 잡아당기면 금세 간이탈의실까지 만들어낸다. 그 틈새 라디오까지 틀어놓으니 음향까지 다 갖춰진 셈이다.

그 안에 오십 대쯤으로 보이는 남녀 둘이서 일을 한다. 아침에 금방 논에 물꼬를 트고 들어온 차림새의 구릿빛 아저씨와, 찔레 새순이나 꺾어 먹고 놀았음직한 머리를 질끈 동여맨 그렇다고 결코 아가씨는 아닌 소박한 여인이 있다.

어느 날, 문자 한 통을 받았다. '옷 운동화 가방수선 찾아가세요. ─ 끄레쏭 ─' '끄레쏭', 어디서 들어본 단어다. "오우~!" 그럴싸하다. 순간, 수선 집 정경이 떠올랐다. 잡동사니가 가득한 공간, 오래전 삽화 한 장이 펼쳐진다. 예전에 '화실'이란 간판만 봐도 설레던 시절이 있었다.

나도 한때는 *크레송CRESSON을 꿈꿨다. 중학교 다닐 때다. 교복도 모두 맞춰 입던 때라 길음시장 골목에도 고만고만한 양장점이 꽤 많았다. 이집 저집 기웃거리며 유심히 보고는 빈 종이만 보면 옷부터 근사하게 그렸었다.

아마, 이 아저씨도 옛날 '앙드레 청년'이셨던가 보다. 장인 정신이 강하다. 까다롭기가 이만저만이 아니다. 어느 소도시 쯤에서 순종적인 미싱사 아가씨와 함께 양장점을 운영했었던 모양이다. 수선하고 남은 천을 달라고 하면, 꼭 신문지로 오려놓은 옷본을 꺼내 보여주면서 나에게 한마디 한다. "옷은 아줌마처럼, 아무따나 자르는 것이 아닙니다." 손님을 나무라는 것을 보면, 그는 아직도 잘나가던 끄레쑝 시절에 있는 듯하다.

수선집 여인은 "뭐 하러 그까짓 옷본은 보여주느냐?"며 남자에게 매번 퇴박을 준다. 내가 생각해도 기껏해야 치맛단이나 허리 품 조금 줄이는 일에 옷본까지는 필요할 것 같지도 않다. 새로 만든 옷본은 끄레쑝 디자이너의 자존심일 뿐이다.

나는 이때나 싶어, 역시 전문가는 다르다고 추켜세웠다. 그런데 대답하는 목소리가 오늘따라 건조하다. 두 사람의 오가는 말 땀 수가 촘촘하다. 섣불리 참견하다가는 내가 바늘에 찔릴 판이다. 그래도 눈치를 살피며 수선비를 좀 빼달라고 하니, 우리 아저씨에게 말해보라고 한다. '우리 아저씨'라는 말에 잽싸게 부부냐고 물었다. 올 때마다 두 사람이 하도 다정해서 부부가 아닌 줄 알았다고 너스레를 떨었더니, 말

같지 않다는 듯 방금도 작은 일을 가지고 대판 싸웠다고 한다.

왜 안 싸우겠는가. 공간이 좁기 때문이다. 부부는 한 차만 타도 티격태격한다. 나도 엊그제 1박 2일, 산수 좋은 곳에 여행 다녀오면서 승용차 안에서 꾸욱~ 참다가 아파트 지하 주차장에 도착하는 순간, 뒤도 안 돌아보고 휑하니 올라왔다. 하물며 서로 얼굴 마주 보며 삼백예순날 밤낮으로 꼭 붙어 있으니 여북하겠는가.

"부부는 다 작은 거로 싸워요, 큰 거로 싸우면 애인이죠." 애인은 너 없이는 못산다고 생사生死를 가지고 싸우지, 누가 오줌 눌 때 변기 뚜껑을 '올려라. 내려라'를 가지고 싸우겠어요? 열 받은 부부 사이에 끼어들었다.

내 말에 힘을 얻은 아저씨는 내가 마치 제 누이라도 되듯 일러바친다. "지금도 저 사람이 그까짓 실을 가지고…" "또, 또, 또…! 손님 앞에서…" 아줌마 눈빛이 아저씨에게 활시위를 당긴다. 두 사람 다 팽팽하다. 가위에 손대지 않아도 실이 끊어질 판국이다.

"그만들 하세요. 예로부터 결혼할 때, 왜 함에다 청실홍실을 넣어주었겠어요." 다 집집마다 실 가지고 밤새도록 붉다 푸르다 사랑싸움하라고 넣어주는 거예요.

나는 두 손을 공손하게 맞잡고, 한 올 한 올 음률을 탔다.

'청실홍실 엮어서 정성을 들여 / 청실홍실 엮어서 무늬도 곱게 / 티 없는 마음속에 나만이 아는 음~ 음 수를 놓았소 ♬'

어설픈 내 노랫가락에 싱글싱글 싱글, 벙글벙글 벙글, 신이 난 끄레쏭 부부. 내게 수선비 오천 원을 깎아줬다.

* 크레송(CRESSON) : 창조(CREation)+열정(paSSion)+패션(fashiOn)이라는 최신패션주자 브랜드

손을 말하다

　나는 얼굴보다 손이 예쁘다. 예쁘기만 한가. 감촉도 좋다. 손마디의 뼈가 부드러워 사춘기 시절, 내 손을 만져보려고 친구들이 앞뒤로 기다리고 있었다. 그 손으로 채송화 꽃잎처럼 얇은 천을 잘 마름하고, 구정 뜨개질, 십자수, 퀼트 그리고 편지지에 색종이로 꽃을 오려 붙이는 손놀림이 섬세하다.

　어느 날, 칠판에 글씨를 쓰는 내 손을 바라보던 어느 분이 "밥은 할 줄 아세요?"라고 물었다. 손끝에 물 한 방울 묻히지 않고 사는 듯, 고운 손이 한심하게 보였던 모양이다. 어머님이 계실 때만 해도 늘 손이 바빴다. 밥이나 청소는 물론 사시사철 이불 홑청 빨래를 풀 먹여, 젖은 방망이 마른 방망이질을 하며 무명제복에 모시 두루마기까지 거뜬히 손질해내던 손이다.

일을 많이 한 손이라고 대우하고 살지는 않았다. 비누 냄새 말고는 향기도 없다. 손등이 터지면 더러 글리세린을 바른 후, 마른 장갑을 끼고 잔 적은 있지만, 예쁜 빛깔의 네일아트의 꾸밈은 한 적이 없다. 결혼반지조차도 잘 끼지 않는다.

그렇다고 손에 대한 관심이 아예 없는 것은 아니다. 손톱 끝에 봉숭아 꽃물은 꼭 들인다. "봉숭아꽃을 보고, 꽃물을 들이지 않으면 여자가 아니"라는 친정엄마의 지론이다. 엄마의 딸, 나는 어떠한 일이 있어도 여자의 특권은 누리고 싶다.

꽃물로 멋을 낸 손톱관리는 부지런하다. 나는 손톱을 자주 깎는다. 특히 긴장되는 일이 있거나, 혹 어디로 길을 떠날 때는 어제 깎고도 오늘 또 깎는다. 그렇게 바짝 깎으면 손톱 밑이 아프지 않으냐고 묻는 사람도 있다.

고 3인 여름방학, 대통령 영부인 육영수 여사가 저격을 당한 바로 그해다. 걸스카우트 단원이었던 나는 비상연락을 받고 학교에 갔다. 동작동 국립묘지까지 가는 운구 행렬의 안내 역할을 맡게 되었다. "넌, 손이 참 얌전하구나!" 그날 담임선생님은 의전용 흰 장갑을 나눠주시며 말씀하셨다.

개학하자마자, 나는 9월 1일 자로 취업을 나갔다. 우리 학교에서 가장 먼저 나갔다. 무엇 하나 내세울 것이 없었던 나, 누가 말이나 걸어줘야 신이 나서 조잘대던 수줍은 여학생이었다. 다른 아이들보다 공부를 잘하는 것도, 모범생이거나 배경이 좋거나, 예쁘지도 않았다. 오로지 손이 얌전하게 보인 덕분이었다. 면접을 보는 분들도 자필 이력서와 얼굴, 그리고 손을 커다란 확대경으로 유심히 들여다봤다.

그 후로 나는 뭔가를 시작할 때면 손부터 신경을 쓴다. 사람을 만났을 때도 얼굴과 옷매무새와 더불어 얼른 그 사람의 손을 본다. '저 사람은 저 손으로 무슨 일을 하고 살았을까?' 가늠해 본다. 덥석 잡고 싶은 손도 있고, 살며시 쓰다듬어 보고 싶은 손도 있고, 선뜻 다가가지는 못해도 부러워 자꾸 훔쳐보는 손도 있다.

그들도 나처럼 먹지를 네 장씩 끼워 법조문이 빼곡하게 적힌 서류를 꾹꾹 눌러썼었는지, 주판알을 튕기며 날마다 장부를 작성했었는지, 글씨를 너무 많이 써서 가운뎃손가락에 펜 혹이 생겼었는지, 친구들이 대학입시 예비고사를 치르는 시간에도 고층빌딩 사무실에서 일하고 있었는지, 그날 퇴근하고 종로2가 양지다방에 갔었는지…. 혹시, 그 구석 자리

자욱한 담배연기 속에서 소리죽여 우는 여학생을 보았었는지, 다 궁금하다.

자태가 고우셨던 시어머님은 반지보다 브로치를 즐기셨다. 고생했던 억센 손마디를 남 앞에 보이고 싶지 않다고 하셨다. 나는 요즘 어머님이 아끼던 참깨 반지를 가끔 낀다. 반짝이는 빛에도 아랑곳없이 손끝이 말라 거슬리기도 하고 손등에 저승꽃도 엷게 피어난다. 가만히 들여다보고 있으면, 아무리 아닌척해도 내가 살아왔던 세월이 고스란히 보인다.

하얗고 긴 손가락으로 우아하게 손짓하는 도도한 손도, 지문이 다 닳도록 생선 대가리를 내리치고 비늘을 긁어내며 생활의 파고를 넘나들던 손도, 창신동 골목의 큰 누이들처럼 밀폐된 공간에서 재봉틀을 돌리던 손도, 배꽃 환하던 과수원에서 사다리에 올라가 풋배에 봉지를 씌우던 손도, 손은 다 아름답다. 내 손도 아름답다.

그러나 나는 손이 차다. 여름에도 손이 시리다. 느닷없이 악수를 청하는 사람들이 내 손을 잡다 말고 움찔 놀란다. 그 순간이 민망하여 "마음은 따뜻해요." 곧잘 너스레를 놓는다. 서푼짜리 자존심을 지키려고 꼭 해야 할 일과 절대 해서는 안 되는 일에 손사래를 너무 많이 치고 살아서인가, 손이 냉혈이다.

누가 공자에게 어찌 그리 다재다능하신가 묻는다. "나는 소싯적에 미천했던 까닭으로 손재주가 많다"고 대답한다. 나는 꽃다운 시절, 생계를 위해, 한 손에 일을, 또 한 손에 책을 들고 주경야독했다. 그 기특한 손에게 상을 주지는 못할망정, 누가 무시할까 봐 일부러 손톱 밑이 아리도록 바싹 깎으며 혹사시켰다.

언제 어디서 무슨 일을 하고 있었는지, 나의 궤적을 일일이 모두 기억하는 손. 이제 당당하게 나의 손을 예우해 주고 싶다.

祭 우담화 文

꽃 보살!

절집 사람들은 어머님을 꽃 보살이라 불렀습니다. 영단에 꽃을 예쁘게 꽂으셨지요. 어머님은 제가 시집올 때도 꽃처럼 예쁘시더니, 늙어서도 예쁘고, 아프실 때도 예쁘고, 하얀 명주로 지은 저승 옷을 입고 가시던 날, 분홍빛의 작은 수필집 『꽃잎사랑』을 얹어 드리니 참으로 고우셨습니다.

저는 본래부터 키도 작고 몸무게도 작습니다. 그러니 속마음인들 클 리가 없었지요. 그릇에 비유한다면 아마 작은 간장 종지일 것입니다. 다가올 일들을 미리부터 걱정하는 소인이지요. 그런 제게 결혼하기도 전에 푸른 명주실로 오부자五父子의 도포 끈을 만들어오라고 예단을 주문하셨습니다. 송

곳을 이용해 잡아당기고 눌러도 단단한 매듭 실은 손끝을 부르트게 했습니다. 한 집안의 법도를 동심결同心結 매듭으로 어머님의 며느리가 되었습니다.

또, 어머님은 병풍을 손수 써 오라 하셨습니다. 원삼 족두리를 쓰고 현구고례見舅姑禮를 드리던 날, 초례청에 병풍을 쳤습니다. 그 병풍이 긴 세월 동안 어머님과 제가 서로 마음을 의지하는 울타리가 될 줄은 몰랐습니다.

홍치마를 입고 한삼자락 높이 올려 아침저녁 문안 인사드리던 무렵부터 어머님은 서실을 마련하고 붓글씨를 쓰셨습니다. 전 곁에서 먹을 갈아 드렸지요. 모시 적삼을 곱게 차려입고 외출하시는 날은 흰 고무신을 말갛게 닦아 발 앞에 놔드렸습니다.

그 후, 어머님은 몇 점의 작품으로 조촐한 전시회를 여셨습니다. 그리곤 제가 드렸던 병풍을 그동안 잘 썼다며, 새로 표구를 해 돌려주셨습니다. 그때 답례라며 금강경金剛經 병풍을 손수 써주셨습니다. 263자字의 반야심경 8폭 병풍을 써드렸는데, 5,149자의 12폭 병풍을 받았으니, 어마어마한 이익이지요. 어머님은 제게 늘 그런 식으로 정을 주셨습니다.

어머님 회갑년庚午年 윤달에 명주 필을 마당 가득 펄럭이며 푸새를 했지요. 배산의 뻐꾸기 소리도 다듬잇방망이 소리에 맞춰 경쾌하게 들렸습니다. 어린이날, 어버이날, 스승의 날, 어머님 아버님 생신에 부처님 탄신일까지 사랑으로 겹쳐진 5월의 울안에는 보랏빛 꽃창포와 영산홍 꽃빛깔이 참으로 고왔습니다. 손에 골무를 끼고 윤회의 바퀴처럼 재봉틀이 돌아갔습니다. 저승 옷을 지었습니다. 화기애애한 분위기 속에 꽃 같은 날들만 있을 줄 알았지요. 가족들이 오열하며 지켜보는 가운데, 손수 지으신 그 옷을 겹겹이 껴입고 가실 줄 어찌 상상이나 했겠습니까.

뒷마당에 심지 않아도 자생하던 돌미나리, 취나물, 민들레처럼 저의 일상이 날마다 봄날은 아니었지요. 폭우가 쏟아지고 서릿발이 쳐도 춥다 덥다 내색하지 않았을 뿐입니다. 송홧가루 뽀얗게 날리는 음력 4월은 새벽부터 장독을 닦느라 늘 잠이 모자랐습니다. 단 하루만이라도 휴가를 받아 늘어지게 잠을 자보는 것이 소원이었지요.

곁으로 분가해 각 집에 살면서도 어머님이 "니, 어디 갔더노?" 물으실까 두려워 이웃에 마실도 못 갔습니다. 그 말이 그냥 치레 인사라는 걸 뒷날에야 알았습니다. 개 짖는 소리가 들리면 손님이 왔나 싶어 뛰어갔고, 이불 빨래가 널리면 불안하여 비 오는 날의 휴식을 꿈꿨습니다. 마음씨 말씨 솜씨 맵시의 부덕을 고루 다 갖추신 어머님은 한 치의 어긋남도 못 본 척 넘기지 못하는 성품이셨습니다. 불호령과 저기압 전선을 만들어 며느리들 기강을 바로잡으셨지요. 어머님 마음에서 벗어나지 않으려고, 늘 조심스럽게 옷깃을 여미며 마음의 보초를 섰습니다. 심신은 고단했지만, 운명처럼 그렇게 어머님과 합이 맞았습니다.

저는 늘 어찌하면 이 역할에서 벗어날 수 있을까를 궁리했습니다. 힘들다, 힘들다 하면서 수면제와 신경성 설사를 내 몸인 양 달고 살면서도, 어머님 곁에 있어야 마음이 편안했습니다. 어떤 이는 스스로 자학하며 오히려 그 관계를 즐긴다고도 했습니다.

지금 이 허망함. 지난 세월의 부질없음은 제가 절대적으로 의지하고 있던 팽팽한 끈을 놓쳐버린 데 있습니다. 크고 작은 일들을 의논드리고 남편이 저에게 섭섭하게 한 것을 일러바칠 사람이 없어졌습니다. 언제나 제 이야기를 귀담아들어 주시고, 인정해 주셨던 유일한 후원자를 잃었습니다.

저는 마음 놓고 소리 내어 통곡도 하지 못했습니다. 가슴을 짓누르며 화장실에서 혁혁 울었습니다. 마치 저는 버림받은 것 같았습니다. 어머님이 병원 생활에서 자주 말씀하셨듯이 "벌써 가려고?" 나중엔 나비처럼 가볍게 무언의 날갯

짓을 하실 때마다, 전 어머님 손을 꼭 잡고 "걱정하지 마세요. 어머님, 지켜 드릴게요"라는 말을 했었습니다.

예로부터 제문祭文을 *유묘지문誄墓之文이라 하여 *'포褒는 있어도 폄貶은 없다'라고 했습니다. 혼자만 읽고 다른 사람에게 보이지 말라고도 했습니다. 그렇다면 아예 쓰지도 말았어야 합니다. 그러나 어찌 제가 어머님 가시는 길에 배웅을 안 할 수가 있는지요. 늘 그랬듯이 어머님 곁에서 주절주절 말동무 되어, 어머님이 염라대왕을 만나는 그 순간까지 같이할 것입니다.

지금 저희 청남淸南가족은 영주암에서 지극정성으로 49재를 올리고 있습니다. 어머님과 생활하던 우리 집, '청남 산장'은 절에서 기도도량으로 쓰고 있습니다. 불자들은 우리가 살았던 집을 '정토淨土의 집'이라고 합니다. 우리 대소가의 가족사와 어머님과 제가 마주앉아 화락의 세월을 쌓던 울안. 그 넓은 품 안에서 나오렵니다. 이제 대붕처럼 제 마음이 가는 대로 소요逍遙자락을 산책할 것입니다. 감히 말하건대, 저는 좁은 소견머리로 어머님 앞에서 있는 힘을 다해 정성껏 살았습니다. 여한이 없습니다.

*'우담화' 우담화는 어머님의 불명입니다. 금강경 병풍 속에서 깃털보다 가벼운 씨앗들이 날고 있습니다. 어머님은 제

가슴 한편에 영원히 피어 있는 우담화입니다.

어머님, 어머님하고 살았던 22년의 세월을 소중하게 생각합니다. 어머님하고 맺었던 고부간의 인연을 자랑스럽게 여기고 있습니다. 어머님! 그동안 감싸주시고 아껴주셨던 마음 고맙습니다. 부디 좋은데, 좋은데, 아주 좋은데… 극락왕생極樂往生하십시오.

영면하시옵소서.

셋째 며느리 文化 柳昌熙 謹 올림

* 유묘지문 – 귀신에게 아첨하는 글.
* 포는 있어도 폄은 없다 – 칭찬은 있어도 나무람은 없다.
* 우담화 – 인도에서 삼천 년에 한 번씩 꽃이 핀다는 상상의 꽃.

옛날의 금잔디

왜 그 생각을 하지 못했을까.

산기슭, 나는 그곳 시집에서 생활했었다. 그곳은 새색시 활옷을 입고 폐백을 드렸던 집, 두 아이를 낳아 키운 집이기도 하다.

아침마다 새소리를 들었다. 사철 꽃피던 정원풍경은 아름다웠지만, 몸무게가 가장 적게 나가던 시절이기도 했다. 지나고 보니 인동초忍冬草 곱게 피어 향기로웠지만, 살던 당시는 하루하루를 긴장했던 곳이다.

스스로 이겨내려고 꽃 한 송이 머리에 꽂은 얼빠진 모습으로 얼차려를 했던 곳, 그런저런 생각을 하면 명치끝이 찌르르하다. 어쩜 수묵처럼 번지는 서글픈 기억은 며느리 노릇을 혹독하게 훈련받았던 게 허망해서다. 그런데도 문득문득 사무치도록 그곳에 가보고 싶었다. 누가 가보자고 하지 않아도 혼자라도 몰래 숨어들고 싶던 차였다.

어느 날 해 질 무렵, 남편이 먼저 나섰다. 천근만근 무거운 마음을 끌어안고 오르던 비탈길을 자동차 페달을 밟아 쌩하니 단숨에 올라간다. 세월이라는 것이 빛바랜 사진 한 장처럼 가벼울 수 있다는 것을 실감한다. 다시 그곳을 찾기까지 30분이면 갈 수 있는 거리를 지척에 두고도, 꼭 칠 년이 걸렸다.

집터는 그대로다. 집안이 훤히 들여다보이던 대문과 잔디밭, 커다란 벗나무 밑 꽃창포밭, 연못이 있던 자리와 돌계단은 흔적도 없다. '常樂精' 상락정이라는 노인요양병원 간판이 오히려 뜨악하게 우리 부부를 쳐다본다.

옛 주인을 내친 빚쟁이가 집을 차지하고 앉아 "당신들은 뉘슈?" 묻는 것 같다. 수국이 피던 울타리에 돌미나리 자라던 물길을 따라 뒤란으로 올랐다. 그곳은 내가 울적할 때, 푸성귀를 핑계 삼아 오르던 길이다. 노랑 미나리아재비 꽃이 피던 곳. 쑥과 냉이가 지천이던 곳. 매화꽃이 휘날리면 나만 아는 달래와 머위 싹이 나오던 곳. 치마폭에 가득 나물을 뜯던 곳에 개망초와 엉겅퀴가 비켜서면서 '어디서 많이 보던 아줌마'라고 수런거린다.

'그래, 애들아. 나야. 너희가 없었다면 나는 어쩜 숨이 막혔을지도 몰라. 너희가 무조건 내 편을 들어줘서 나는 늘 위안이 되었고말고. 그럼, 그래 다 너희 덕분이야.' 인사를 했다.

어둠이 내려앉는다. 불빛 밝은 병원 창문 안에서 할머니 몇 분이 창밖을 물끄러미 내다본다. 식당도 보이고 운동기구도 보인다. 노인들이 여기저기 누워 있다. 어느 미술관 안에 전시된 그림처럼 한가롭다. 넓은 강당 안의 대형화면에서 가수들이 노래하며 춤추는 모습이 보인다. 그곳의 정경은 마치 TV만 살아있는 것 같다.

나를 아는 지인이 "당신이 살던 집을 절이 인수한 것은 천만다행이다." 중생들이 '정토의 땅'으로 쓰는 것이 바람직하다고 말했다. 차라리 잘된 일인 것을 알면서도 저며 놓은 가슴에 꽃소금 뿌리듯, 아리고 쓰리다.

담장이 없는 병원 밖에 아무도 관심을 두지 않는데, 혼자 웅얼거렸다. "제가 이 집에서 오랫동안 살았어요. 잠시 인사만 하고 나가려고요." 나는 남편의 손을 잡고 풀숲을 걸었다. 추석 무렵, 차례상에 올릴 감을 몇 개 따려면 감나무 숲을 헤매도 몇 개 없던 나무에 제법 도토리만 한 땡감이 주렁 주렁 매달려 있다.

둘째 아이를 낳기 사나흘 전, 뒷밭에서 김장 배추 사백 포기를 캐서 고무 함지박에 이고 종일 오르내렸던 뒷마당 솔숲 길. 산후풍으로 고생하였건만, 그즈음 뿌려놓은 취나물 몇 줄기가 나 여기 있다는 듯 배추 잎만큼 탐스럽다.

뒤꼍으로 나가던 철망 문을 붙잡고 남편이 한마디 한다. "어! 문은 그대로네!" 아연을 씌운 문은 부식하지 않는다며 목소리를 높인다. 내색은 안 했어도 남편도 그곳이 그리웠던 모양이다. 그동안 아무도 그 문으로 드나들지 않았는지 문은 그대로인데 잡목들이 우거져 무성하다. 풍란이 자생하던 곳을 헤치며 "여보, 여기가 더덕밭이었는데 아직도 더덕 덩굴이 휘감고 올라가네!" 말하니 더덕 꽃이 '당그랑, 당그랑' 옛 주인을 환영하는 듯 종을 친다.

방망이를 탕탕 치며 빨래를 하고 잿물을 내고 푸새를 하던 수돗가, 몇 줄씩 빨래를 널던 뒷마당. 송홧가루 노랗게 내려앉아 나의 게으름을 타박하던 장독대가 있던 자리, 바람에 바지랑대가 흔들리면 개가 놀라 허공을 보고 "컹컹" 짖어대던 곳을 가늠해보니, 금방이라도 '진돌이'가 꼬리를 흔들며 나올 것 같다.

오골계를 키우던 닭장 뒤, 오죽나무는 어느덧 대숲이 되어

노제路祭를 지내듯 바람 앞에 상두꾼 소리를 낸다. 나는 곧잘 그곳에 숨어들어 불협화음의 산조 가락을 토해 내곤 했었다. 부추 꽃이 하얗게 피던 밭두둑에 애잔하게 봉숭아꽃 붉더니…. 그 흔적을 찾으려 더듬더듬 내려오는데, 훼방꾼 칡넝쿨이 시비다. '여기 지금, 너희 집 아니거든.' 내 발을 걸었다.

"꽈당!"

곤두박질쳐 엎어지고 말았다. 남편이 얼른 달려와 손을 내민다. 나는 말했다. "가만, 가만…, 가만히 놔두세요. 잠시만 이대로 있고 싶어요." 한참을 그렇게 엎드려있었다. 발끝부터 치밀어 오르는 한恨의 곡소리 삼키는데 어둠 속에 달빛이 밝아진다.

남편의 부모님과 20여 년 동안 머물던 집, 깊은 연못가에 다다른 듯, 살얼음을 밟고 서 있는 듯, 그 어렵고 조심스러워 전전긍긍하던 시집의 울안이다. 나는 그곳에서 아무 눈치도 안 받고 당당하게 남편의 등에 업혔다. 깨진 무릎에서 붉은 봉숭아꽃이 송이송이 피어난다.

그 꽃향기, 박하 향처럼 코끝이 싸~하다.

제2장

호 련瑚璉

호련

瑚璉

생색내다

"함 사세요."

신랑 친구들의 왁자지껄 외치는 소리가 어둠을 타고 올라왔다. 앞집 꽃잎이 함 받는 날이다. 같은 아파트 단지 내에서의 혼사이니 함을 팔러 오는 거리가 지척이다. 대서양을 건너오는 것도, 예전의 나처럼 서울과 부산을 오가는 것도 아니다.

나는 함진아비와 신랑 친구들이 신붓집으로 빨리 들어오도록 하는 가상한 소임을 자처했다. 아들뻘이 되는 젊은 친구들의 옷소매를 붙잡고 애교 실랑이를 펼쳤다. 뺑덕어멈이 따로 없다. 이웃의 소음신고를 받지 않으려면 장정들을 잘 구슬려야 한다. 한 계단 한 계단씩 돈 봉투를 즈려밟고 밀고

당기는 촌극 없이 초고속 엘리베이터로 22층까지 올라왔다.

누가 나에게 부탁이나 했나. 괜히 혼자 들떠 바쁘다. 그뿐인가. 신붓집 부엌으로 들어가 혹시 빠진 것이 없나 살피는데, 생선회에 고추냉이는 있으나 간장이 모자란다. 초고추장과 쌈장이 있으니 간장 소스는 꼭 없어도 된다. 그러나 이왕이면 잘 갖추는 걸 보고 싶었다. 얼른 집으로 와 보니 우리 집에도 간장이 떨어졌다. 없다고 솔직하게 말하면 될 걸, 아랫집으로 뛰어 내려갔다. 아랫집 아주머니가 간장을 건네주며 "나는 초대 안 하고…" 서운해하는 기색이 역력하다. 물론 나도 초대받지 않았다. 그냥 쳐들어간 것이다. 요즘, 누가 함 받는 것을 반상회에 공지하겠는가.

공자께서 "누가 미생고를 정직하다 했는가? 어떤 사람이 그에게 식초를 얻으러 가니 그 이웃에서 빌어다가 주었다."

미생고는 노魯나라 사람으로 평소에 정직하다는 이름이 있는 자다. 그는 어느 여인과 다리 밑에서 만나자고 약속을 했다. 그러나 그 여인은 오지 아니하고, 때마침 장마라 강물이 불어나 나무다리 들보를 껴안고 하염없이 기다리다 고지식하게 죽은 사람이다. 그것이 진정한 정직인가. 그런 미련한 위인이었으니, 어떤 사람이 식초를 빌리러 왔을 때 자기 집에 없으므로 이웃집에서 빌어다가 준다. 공자께서 이를 보고 뜻을 굽혀 남의 비위를 맞추고 아름다움을 빼앗아 생색을 낸 것을 기롱한 것이다. 식초가 비록 작은 물건이기는 하나 솔직하지 못함은 크다. 옳은 것은 옳다고 하고 그른 것은 그르다 하며, 있으면 있다고 하고 없으면 없다고 하는 것, 그것이 바른 것이다.

나는 날마다 손발이 바쁘다. 왜 그런가. 남의 일로 곳곳을 넘나들며 어진 사람의 안[ ]을 빌리러 다닌다. 내가 꽃잎이를 특별히 좋아하기 때문이라며 이 핑계 저 핑계 다 갖다 붙여도, 결국은 남의 집 간장을 빌려다 혼자 '좋은 사람'이라는 칭찬을 들은 셈이다.

이웃에 누가 사는지도 모르는 요즘 세태에, 어쩌면 현대인에게 꼭 필요한 덕목이라고 말할 수도 있다. 아무리 그렇더라도 도움을 청하지도 않았는데, 먼저 나서는 것 또한 명예욕의 시발점이다.

호 련瑚璉
- 명품의 탄생

누가 구령을 넣는 것도 아닌데, 서로 재빨리 명함을 주고받는다. 어느 청사 두 번째 줄의 풍경이다. '아~참! 나도 명함이 있었지.' 그때야 에코백 안을 뒤적이는데…, 어디로 숨었을까. 당최 찾을 수가 없다. 상대방은 명함을 건네고 벌써 다른 사람의 손을 잡고 있다. 마치 명함을 주고받는 타이밍이 앞날의 성공을 예견하는 것 같다.

어느 작은 곳 기관장을 맡았다고 하니, 집의 큰놈이 명함을 선물해줬다. 연한 회색의 7pt 작은 글씨다. 여태까지 보던 명함과는 사뭇 다르다. 빛나는 금테까지는 아니더라도 지나치게 소박하다. 이럴 거면 뭐 하러 명함을 만드나? 명함을 디자인한 아들에게 은근히 서운하다. 그런데 인쇄된 내 이름을 가만히 들여다보니 슬그머니 움트는 것이 있다.

이참에 명함 집도 근사하고 싶다. 뭉텅이로 여러 장을 넣으면 촌스럽고, 5장 정도 내 손아귀에 딱 맞는 몽블랑 브랜드 정도를 가지고 싶다. 그럼 명함집은 어디서 꺼낼까. 당연히 루이비통 가방쯤은 돼야…, 가방이 명품이면 프라다 구두를 신고 버버리 정도는 입어줘야…, 어느새 욕망의 전차를 타고 있다.

"엄마! 명함 집이 명품이면 엄마 이름이 죽어요"라며 펄쩍 뛴다. 패션쇼장처럼 사람은 안 보이고 옷만 보인다는 것이다. 만약에 거리를 지나가는데, '뭐지! 이 느낌?' 뒤돌아보고 싶은 향기가 엄마였으면 좋겠단다. 그렇지! 일할 때, 얼굴과 성별 그리고 목소리가 무슨 소용인가. 아이 말처럼 명함에 보일 듯 말듯 이름과 이메일 주소만 있으면 된다. 전화번호도 지나친 친절일지 모른다. 나도 자료든 사람이든 내게 꼭 필요하면 돋보기에 확대경까지 동원해서 다 살펴본다.

자공이 공자에게 "저는 어떻습니까?" 하고 묻자, 공자께서 "너는 그릇이다." 자공이 다시 "어떤 그릇입니까?" 하고 묻자, "너는 호련"이라고 한다. 공자는 제자들에게 늘 눈높이 교육을 한다. 사람은 누구나 장점이 있다. 이 문장 앞에 공자는 공야장과 남용과 자천의 장점을 하나하나 들어 칭찬했다. 칭찬을 기다리다가 조급증이 난 자공이 저는 어떤 사람입니까? 묻는 중이다. 찬물을 끼얹을 수 없어 "너는 그릇이다." 가만히 있으라는 말이다. 그러나 기다리지 못하고 "무슨 그릇입니까?" 그때 만약에 솔직한 감정대로 너는 작은 간장 종지다. 혹은 개밥그릇, 아니면 스케일 크게 커다란 고무 함지박이라고 했다면 어땠을까. 이재에 밝고 말주변이 빼어난 자공에게 "자네는 호련"이라는 말로 호기를 정지시킨다. 바로, 춘추전국시대 명품의 탄생이다. 호련瑚璉*은 하夏나라와 은殷나라의 종묘 제사에나 쓰는 최고의 옥玉 제기 그릇이다.

그렇다면, '호련'은 칭찬인가. 언뜻 들으면 장차 높은 벼슬에 올라 귀하게 쓰일 것이라는 격려 같기도 하다. 그러나 어찌할까. 공자는 이미 '군자불기君子不器'라는 말을 했었다. 제자들이 그릇의 기능처럼 능력을 한정 짓기보다는 자신의 마음을 활달하게 부리는 군자君子가 되기를 바란다.

그 당시 자공은 투자의 달인이다. 제자 중에 가장 부자였다. 주유열국의 힘든 행보 중에 그나마 공자가 의관을 갖추고 마차를 탈 수 있었던 것도 자공 덕분이다. 난세에서도 슬기롭게 돈벌이를 잘하는 자공이 "저는 어떻습니까?" 묻는 것은 어쩌면 노블레스 자격이었을지 모른다. 그에 대한 답변으로 도덕적 의무의 오블리주를 일깨워주는 말일 수도 있다.

나 자신에게 묻는다. 너는 과연 명함을 새길만 한 그릇이되는가. 터무니없다. 나에게 명함은 개똥과 같다. 정작 필요할 때는 '어디 가서 명함도 못 내민다.' 이런 내 마음도 모르고 어느 분은 "명함 좀 주세요"라며 버티고 서 있다. 나는 어정쩡한 미소로 "저는, 얼굴이 예뻐서…" 이 무슨 무례인가. 그런데 정말 내가 예쁘기는 한 모양이다. 망발하는 앞에서 모두 환하게 웃는다. 명함을 주고받는 사람은 그 정도 너그러움은 이미 지닌 것 같다. 나는 여태까지 살면서 고현정이나 김태희가 명함을 가지고 다닌다는 말은 '연예가 중계'에서도 들어본 적이 없다.

그래서 그런지 고귀하신 분들의 명함에는 이름보다 사진이 더 크다. 그것도 모자라 뒤편에는 그동안의 공적과 직책이 좌청룡 우백호로 호위한다. '시류야是柳也', 나는 나다. 단지 명함을 건네는 '순발력을 놓쳤을 뿐'이라고 위안 삼아보지만, 일부러 챙겨서 나간 날은 차마 멋쩍어 손이 오므려진다. 집에 와서 혼자 되뇐다. 나는 괜찮은 사람이다. 나는 아직 쓸 만한 사람이다. 나는 군자의 성정을 지니고 싶다. 나는 꼿꼿하다. 꽃, 꽃 할 것이다. 날마다 화花 하하 웃음꽃을 피우다 보니, 어느새 연임의 임기까지 끝났다. 그런데 아직도 명함 한 통이 고스란히 남아있다.

"명품은 아무나 되나♬" 자공은 역시 훌륭하다.

* 호련 : 고귀한 인격을 가진 사람이나 학식과 능력이 뛰어난 사람을 비유적으로 이르는 말.

공자가 자공의 사람됨을 평하여 '호련'이라고 한 데에서 유래되었다.

(子貢問曰賜何如 子曰 女器也 曰 何器也 曰 瑚璉也 - 公冶長)

연예인 병

"저 할머니, 무서워!"

지하주차장 엘리베이터를 타려는데 어린아이가 아빠 뒤로 숨는다. 순간 뒤돌아 봤다. 나밖에 없다. "저 할머니, 귀신 같아!" 아이 애비가 그런 말 하면 안 된다며 슬며시 아이 이마에 꿀밤을 먹인다. "아야!" 소리 지르며 아이가 울먹인다. 나는 아이 앞에 앉으며 "응, 할머니가 무서웠구나?" 괜찮아, 솔직하게 하는 말은 나쁜 말이 아니라며 칭찬했다. 아이가 금세 환하게 웃는다. 나는 괜찮지 않다. 기가 막히고 코가 막힌다. 그리고 생각했다. "왜지?"

단발머리를 파마도 안 했다. 흰머리를 염색도 안 했다. 당연히 화장도 하지 않고 다닌다. 옷차림은 무채색이다. 아이

눈에 내 모습은 영락없는 저승사자였을 것이다. 자연스러운 것이 오히려 낯선 세상이다. 집에 오자마자 홧김에 머리 염색부터 했다.

혼자 독불장군처럼 살면, 도깨비 취급에 뿔까지 난다. 타인의 시선에서 자유로울 수 없다. 너와 나는 개인이지만 세 사람이 모이면 공인이다. 잘 보이고 싶다. 농경시대에는 수신修身을 귀히 여겼지만, 정보화 사회에는 남에게 평가받는 것이 중요하다.

출신학교도 성적도 다 좋다. 그런데 면접에서 떨어진다. 무엇 때문일까. 누구인들 말 잘하고 인상 좋은 사람을 마다할까? 예전 선비들은 인仁을 가장하여 남의 마음을 빼앗는 것은 담을 뛰어넘는 도둑질보다 심하다고 나무랐다. 요즘은 교언영색巧言令色이 현대인의 필수 덕목이다. 어수룩한 도덕군자를 어느 세월, 그 누가 알아줄까. 빨리 손을 번쩍 들어 또박또박 발표 잘하는 내 아이가 최고다. 오죽하면 초등학교 교실에 '엄마가 보고 있다'는 급훈이 걸렸을까.

엄마가 무서운가. 요즘 호환마마보다 무섭다는 세력이 있다. 얼마나 하고 싶은 말이 많으면, "나 여기 있다!"고 입술을 새빨갛게 칠하고 나오겠는가. 아이로도 어른으로도 인정받지 못하는 중학교 2학년이다. 아침 일찍 깊이 눌러 쓴 검은 야구모자와 검은 마스크 차림의 여학생들이 지나간다. 연예인 코스프레다. 어느 간 큰 분이 다가가 "새벽부터 누가 너희 얼굴을 볼 거라고" 가리느냐며 호통을 쳤다나. "어떻게 사람들에게 '쌩얼'을 보여줘요" 되받아 발끈하더란다. 열다섯 살, 지학志學의 학동들도 민낯은 민간인에게 절대 보여줄 수 없다.

화려한 화장이나 성형은 연예인만 하는 줄 알았었다. 어느 날, 패티 김의 인터뷰를 본 적이 있다. "눈을 성형하셨죠?" "아니요." 누가 믿을까. 잘 때도 눈이 감기지 않는다는 '카더라 통신'을 들은 적이 있다. "코도 성형하셨다는데…" 손사래까지 치며 아니, 아니라고 딱 잡아뗀다. "그 당시, 전염병이 돌았어요." 노련한 가수는 말도 역시 수준급이다. 병명은 연예인 병이다.

연예인만 외모를 가꾸는가. 우리나라 방방곡곡 다니는 전국노래자랑을 보면 한결같다. 관람하는 사람들을 순간순간 클로즈업하여 보여준다. 아마 마을회관에 모여 단체로 시술받은 모양이다. 눈썹 문신이 한 사람 솜씨처럼 보인다. 나도 한때, 처진 눈꼬리를 살짝 끌어 올리고 싶은 적이 있었다. 당시, 현직 대통령 부부가 청와대에서 눈 쌍꺼풀 수술을 한 시기다. 만약, 그때 유행을 따랐더라면 '천사 할머니' 소리를 들었을까.

영색만 무서운가. 말 잘하는 교언이 더 무섭다. 지식인들이 교묘한 말과 글로 이팔청춘들을 선동하여 학도병 혹은 홍위병으로 내몰았다. 우리나라뿐만 아니라 큰 나라의 트럼프도 시진핑도 푸틴도 정치 행보를 영상 또는 댓글 공작으로 여론몰이를 한다. 권력유지 정책이다. 연예인보다 스케일이 훨씬 크다. 날마다 지지율을 검색하며, 실시간 일어나는 일을 트위터나 페이스북으로 전한다. 높든 낮든 크든 작든 우리는 타인의 시선마사지를 받고 있으니, 나날이 말과 외모가 점점 반들반들 윤이 난다.

나는 새 책을 내면서 3년 전 프로필 사진을 그대로 사용하려고 했다. 정면을 바라보지 않는 시선이 마음에 들었다. 아들이 펄쩍 뛴다. "엄마가, 연예인이에요?" 망치로 박는다. 그 사진도 아들이 찍어준 것이다. 나는 아름답고 싶다. "세상에 늙지 않는 것처럼 추한 것이 없어요." 세월에 변해가는 모습이 진정한 작가답다고. 산 사람을 어찌 액자에 보존하느냐며 슬며시 박았던 못을 빼준다.

설핏, 어미의 영정사진으로 쓰려는 속셈이 보이기도 했다. 나는 남편의 말은 사사건건 거꾸로 들어도 아이들 말은 대통령 담화문보다 더 믿는다. 담화문을 발표하던 분께서 오늘, 1심 징역형 선고를 받았다. 담화문도 부질없다. 연예인다운 미모가 없으니 감히 젊은 날의 오드리 헵번을 쫓을 수는 없지만, 진짜 영정사진이 되는 그날까지 세월에 순응하는 '유드리 헵번'의 순수한 행보를 꿈꾼다.

여자 & 남자

연분홍 치마, 바람에 휘날리다

'진달래' 시리즈 우스갯말이 유행하던 시절이 있었습니다. "진짜 달래면 주나?" 언감생심, 이 글을 쓰는 저는 좀 까칠하답니다. 염색을 거부하는 흰머리 소녀죠. 경고하건대 점잖은 선비는 흰 달래를 넘보지 않습니다.

청첩장들 받아보셨죠? 여자들은 봄에 시집을 간답니다. 강남 갔던 제비가 돌아온다는 음력 3월 3일, 삼월 삼짇날은 음기陰氣가 깊은 계절입니다. 봄바람이 겨우내 껴입었던 여인네의 속곳을 벗기게 되는데요. 연분홍 치맛자락을 휘날리며 나물을 뜯으러 갑니다. 이름하여 '화전花煎놀이'입니다. 찹쌀을 동그랗게 빚어 진달래꽃 한 송이씩 얹어 번철에 지져내는 꽃전입니다. 꼬맹이 소꿉동무들이 캐는 달래 냉이 씀바귀 정도의 들나물 수준이 아니랍니다.

화전놀이 가는 아녀자들의 자태가 곱습니다. 아지랑이 아롱아롱 피어오르는 산등성을 오르노라면 마른나무 가지 사이로 다문다문 핀 진달래꽃이 환하죠. 자세히 눈여겨본 사람은 아시겠지만, 꽃잎 빛깔이 제각각 다르답니다. 흰달래, 연달래, 진달래, 난달래, 안달래. 진달래꽃은 홑겹 명주 치마보다도 실루엣이 얇습니다. 일명 두견화杜鵑花라고도 하는데 꽃술에서 들리는 두견새 울음소리가 애절한 규방가사입니다.

선녀들이 있는 곳을 나무꾼들이 훔쳐봅니다. 휘파람소리 들리시나요? "에구머니! 남세스러워라." 과수댁이 놀란 듯 벌떡 일어나 훠이훠이 쫓아내는 시늉을 하며 앞장섭니다. 치맛바람에 제비쑥·원추리·참취·잔대와 홑잎이 뾰족뾰족 솟아오릅니다. 봄 처녀는 짐짓 나물 캐어 담는 다래끼를 떨어뜨립니다. 호시탐탐 기회를 엿보던 청년이 다래끼를 집어 들고 냅다 뛰어가며 "나, 잡아봐라~!" 숨바꼭질을 합니다. 어디 압구정동에만 로데오 거리가 있나요. 신사동 가로수 길에만 '야타족'이 있나요. 흐드러지게 핀 꽃뿐이던가요. 덤불 속에 찔레순까지 손짓하며 부릅니다. 산과 들, 천하가 온통 '요조 숙녀 군자호구'입니다.

잠깐! 여기서 꽃 빛깔은 여성의 치마 빛깔이 아니랍니다. 유두乳頭 빛깔입니다. 예로부터 유선이 봉곳하지도 않은 생리 이전의 흰달래 어린 소녀를 범하면 동산에 난데없이 하얀 진달래가 피었다고 합니다. 나라에 변고가 생겼다고 한탄을 하였다지요. 요즘 연분홍빛의 연달래 아가씨들은 혼기가 넘어도 아이와 남편, 고부와 장서의 갈등에 지레 겁을 내어 결혼을 꿈꾸지 않아 걱정이라죠. 활짝 핀 농염한 진분홍빛의 진달래 마님들은 존재 자체만으로도 으뜸인데, 보톡스와 성형으로 청담동 사모님 풍을 꿈꾸고, 멍석 위에 널어놓은 푸르스름한 팥알 빛깔의 난달래 대비마마님들의 다이어트와 건강식품도 날개를 단 듯 팔린다고 합니다. 세상은 이제 된장에 호박 잎 쌈만 자연 맛이 아니랍니다. 얼굴만 보고 여자 나이를 가늠할 수 없게 되었습니다. 더벅머리 청년도 여인의 뒤태만 보고 쫓아갔다가는 "안달래" 손사래로 내칩니다.

봄은 여자의 계절입니다. 왜냐구요? 여자는 봄바람에 나부끼니까요.

도포 자락, 바람을 타다

그대는 남자, 남자는 역시 '욱!' 하는 성질이 매력입니다. 열 받은 마음을 비우는 '허심虛心사상'으로 열자㤠子는 보름씩 바람을 타고 다녔다는데요. 옷깃을 여미게 하는 찬바람이 불면, 사랑은 낙엽 따라 가버리고, 옆구리 시린 외로움만 홀로 남아 바바리 깃을 세웁니다. 이름하여 '가을 남자'입니다. 옳거니! 그리하여 남자들은 양기陽氣가 가득 충전되어 가을에 장가를 간답니다.

가을은 일 년 중 가장 양기가 충만한 계절입니다. 특히 음력 9월 9일 '중양절' 즈음에서 바리톤의 목소리로 '시월의 어느 멋진 날~♪'을 불러야, 살랑살랑 실바람을 잡아타고서 넘실넘실 ♫ 오색가을이 온답니다. 단풍과 국화가 그윽한 '풍국楓菊놀이'입니다. 선비들은 의관을 갖추고 풍로 하나, 술잔 하나, 종이 붓 먹 벼루의 문방사우를 들고 산에 오릅니다. 요즘 남정네들이 불꽃처럼 뜨거운 중년의 사랑을 꿈꾸는 '꽃탕' 하고는 격이 다르죠. 동서양을 넘나들어 장글장글한 볕을 그리워하며 백석은 '귀농'을 꿈꾸고, 리처드 기어도 '뉴욕의 가을'을 찍고, 릴케도 덩달아 '이틀만 더 남국의 햇볕을 달라'고 가을날을 읊었습니다.

시서화詩書畵를 즐깁니다. 반드시 장원을 뽑아 면류관을 씌워 어사화를 꽂는 벼슬만이 삶의 목표던가요. 어디 신흥 사대부 '사' 자들만 대접을 받아야 하나요. 본래 백일장, 휘호대회, 그림을 그리고 관람하는 일은 예藝에서 노니는 서민들의 문화입니다. 인생은 나에게 술 한 잔 사주지 않았다고 푸념해봐야 누가 알아줄까요. 우리네 인생이 그때 그거 해볼걸, 해볼걸, 걸, 걸, 껄껄대다가 저승으로 간다지요. 받으시게 따르시오. 주거니 받거니 어사주나 벌주나 수작酬酌하는 묘미는 함께하는 건배입니다. 내 안에 그대의 목소리가 있습니다. 그 소리가 무슨 소리인고? "누가 오라 하였기에 가을이 벌써 왔단 말이냐?" 취옹 선생의 추성부를 서글프게 읊조린들, 가는 세월을 어찌 붙잡을 수 있겠습니까. 남산에서 국화를 캐다가 동쪽 울타리에 심어놓고, 인생의 석양을 즐겼다는 오류 선생처럼 한 글자, 한 문장, 음률 넣어 오언절구면 어떻고 칠언절구면 또 어떻습니까. 굴원의 어부사도 독야청청 읽어보니, 궁색하나마 마음은 청아하고 그런대로 괜찮습니다.

쑥부쟁이, 구절초, 감국, 산국을 즐기며 국화주菊花酒를 마십니다. 술기운에 그동안 체면으로 졸라맸던 갓끈이 풀어집니다. 소슬바람이 상투 머리를 빗질 〔風櫛〕 하며 지나가면,

알딸딸 앞에 앉은 사람 둘이런가, 셋이런가. 으스스 한기가 서립니다. 동여맸던 허리끈을 풀고 시원하게 한줄기~, "에헤 라디야~♪" 일 년 내내 바짓가랑이 안에 갇혔던 물건을 따 끈한 햇살과 신선한 바람이 거풍擧風을 시켜줍니다. 어느 누 가 그토록 살가운 애무로 탱글탱글하게 해줄까요.

가을은 남자의 계절입니다. 왜냐구요? 남자는 가을에 바람을 타니까요.

저도 어언간 붓을 들어 풍류를 논할만한 진달래꽃이 되었습니다. 진 · 달 · 래, 진짜 달라면 주느냐고요? 내 집 아궁이에 불 지피는 '집밥'만 아니라면 몽땅 드립니다.

이 가을, '풍즐거풍風櫛擧風'의 낭만을!

요산요수樂山樂水

요산요수, 이것이 문제로다!

"지혜로운 사람은 물을 좋아하고, 어진 사람은 산을 좋아하니, 지혜로운 사람은 움직이고 어진 사람은 고요하며, 지혜로운 사람은 즐기고 어진 사람은 장수한다." – 공자

산을 좋아하는 사람은 어질다. 선산 아래 정자를 지어놓고 삼강오륜의 질서를 지키며 숭덕을 실천하는 사람들이다. 조상 잘 받들고 나이와 항렬을 따지며 문중과 종친을 귀히 여긴다. 문향정聞香亭에서 고요하게 꽃들의 향기나 즐기는 정적인 분위기다. 남산골 샌님이거나 '독락당'을 짓는 회재 선생이다. 달그림자와 곡차를 벗하는 풍류객이며, 전원을 꿈

꾸는 자연인이다.

물을 좋아하는 사람은 지혜롭다. 물결 따라 움직인다. 물찬 제비 닮은 자동차, 백조처럼 우아한 요트로 방방곡곡 혹은 지구의 반 바퀴 유랑을 꿈꾼다. 나이나 직책으로 편 가르는 사람들과 어울리지 않는다. 수평적인 사고로 늘 새로움을 추구한다. 인자처럼 한 우물을 파느라 평생 수고롭지 아니하다. 낚시, 여행, 춤, 그림, 사진, 재테크… 즐겁고 재미있는 동호인들과 함께한다.

그들의 일상생활을 살펴볼까. 어진 사람들은 다 내 마음 같겠거니 여긴다. 식사하고 술을 마시며 자신의 주머니에 돈이 있으면 전부 부담한다. 가끔 식당 계산대 앞에서 서로 밀치고 막아서는 모습을 볼 때가 있다. 한국인의 정서를 모르는 외국인이 보면 '저들은 밥 잘 먹고 계산대 앞에서, 왜 저렇게들 다툴까?' 이상하다. '그대께서 잡수신 음식값을 내가 내겠다'는 세상에서 가장 아름다운 싸움이다.

지혜로운 사람들은 남과 나를 엄격하게 구분 짓는다. 이익과 손해가 분명하다. 혹시 일본인 관광객을 보았는가. 식당 앞에서 각자 동전까지 세어가며 계산한다. 저런 야박한 처사라니, 정나미가 떨어진다. 그런데 살아가면서 점점 부럽다. 내 밥값 내가 내면 '다음'이라는 부담이 없다. 마음이 맞지 않으면 안 만나면 그만이다.

　어진 사람들은 지갑 안에 돈이 없어도 밥 먹는 자리에 참석한다. 지난번에 내가 밥값을 냈으니 오늘은 당연히 상대방이 내겠거니 믿음이 강하다. 성직자가 될 소질이다. 그러나 지혜로운 사람은 각자 회비 내고, 토론이 자유롭다. 어진 사람들처럼 인도주의를 발휘하여 밥값 낸 사람의 이야기를 참아가며 일방적으로 경청하지 않는다.

　예전에 어르신들은 인자에 가까웠다. 내 인생에 나는 없다. 눈에 넣어도 아프지 않다며 내 자식을 무조건 감성으로 껴안는다. 먹고 싶은 것 입고 싶은 것 참아가며 허리띠 졸라매어 모은 재산을 자식에게 다 준다. 그렇게 하면 노후에 마땅히 봉양 받을 거라는 의존적인 확신이다. 노동을 천시하고 선비정신을 존중한다. 만물을 품고 하늘을 따라 장수한다.

　지자들은 어떤가. 자녀에게 고기 잡는 법만 전수한다. 성인이 되면 가차 없이 독립시킨다. 재산증여는 어림도 없다. 자신의 노후는 자신이 책임진다. 내 손이 내 딸이라며 부모와 자식 간에 범벅도 금을 그어 먹는다. 땀 흘린 만큼 얻은 가치를 높게 여긴다. 냉철하고 이성적이다. 쓰고 남는 돈이 있어도 사회에 환원한다. 무조건 신神을 공경하지 않으니,

서양에 가서는 교회에 나가고, 고국에 돌아오면 조상 모시고, 절에 가면 절한다. 사회적인 종교다. 아버지는 가난해도 자식은 부자이기도 하고, 부모는 부자라도 자식이 가난하게 살기도 한다. 인자들처럼 아들 손자, 며느리 삼 대의 안위를 걱정하지 않는다. 자녀들도 나처럼 열심히 살면 된다. '지금, 여기'가 '황금'보다 소중하다. 더불어 삶을 즐긴다. 즐겁게 살거나, 즐겁게 죽거나 둘 중 하나다.

인자와 지자, 딱히 어느 것이 옳고 그르다고 단정할 수 없다. 한우물만 파내어 샘물이 나오는 것도, 이 물 저 물 옮겨 다니며 서핑을 즐기는 것도 저마다의 성향이다. 백화점 명품관의 상품이건 대형 할인점의 원 플러스 원의 물건이든, 수요와 공급은 있다. 오로지 고상한 품격을 택하든 두 배의 보너스 인생을 택하든 자유다.

인자는 자존심이 상하는 것을 털끝만큼도 참지 못한다. 초나라의 굴원屈原처럼 상수에 뛰어들어 물고기의 밥이 될지언정, 지켜야 할 절개가 있다. 맑으면 맑은 대로 흐리면 흐린 대로 살지 않는다. 창랑滄浪의 물이 탁하면 발 씻고 물러나온다. 도무지 타협할 줄 모른다. 추방당하면 바로 부엉이 바위거나 빌딩 옥상이거나 강물이거나 나무에 목을 매단다. 그러나 지자는 자국의 이익을 위해서는 '평화'라는 이름으로 군대를 파병하기도 하고, 어제의 적군과 손잡고 만세 삼창의 융합도 잘한다.

　조용히 먹을 갈고 예의를 지키며 엄중하게 자신을 지킬 것인가. 롤러코스터, 서핑, 행글라이더, 오토바이로 질주할 것인가. "굿샷!"을 날리다가 벼락의 "나이스"를 꿈꾼 적이 없으니, 나에게 지자는 멀기만 하다. 그렇다고 인자라고 말하기도 민망하다. 그래도 굳이 나누라고 하면, 나는 칠판 앞에서 심판받거나, 200자 원고지 틀에 갇혀 '서로서로讀서로' 규장각의 서책에 가까운 사람이 되고 싶다.

　고요한 가운데 움직이는 정중동靜中動. 가늘고 길게 누릴 것인가, 굵고 짧게 즐길 것인가.

　아~ 산 절로, 수절로, 요산요수!

지 지

'이, 메일에는 제발 답장 주지 마세요.'

메일을 읽는 순간, 정신이 번쩍 든다. 어디 한두 번 들은 소리인가. 새삼스러울 것도 없는데, 오늘따라 죽비소리가 들렸다. '저의 편지에 답장 안 해주셔도 되는데, 자상하신 손편지를 또 주셔서…'라는 문구가 앞에 있기는 했었다. 나는 편지를 자주 쓴다. 이전에는 푸른빛 잉크병에 펜을 콕콕 찍어 위에서 아래로 한 글자 한 글자씩 또박또박 전각을 하듯 마음을 박았다. 펜촉이 사라지면서 볼펜 글씨가 마음에 걸려 송화다식을 박아 내듯 색종이를 오려 붙인다. 뭐든지 하나 더 얹어야 직성이 풀린다.

사무적인 메일도 석 줄 오면 석 줄만 보내야지 싶다가도 길어진다. 그나마 다행은 모바일 문자는 답하기가 쉽다. 글자 수를 제한하니 한 통만 보내도 된다. 그러나 카카오톡이 문제다. 오고 가고, 가고 오고, 길어도 상관이 없으니 소설 문구가 된다. 예쁜 이모티콘을 넣어 굿바이·굿나잇·예스·OK ·하트 모양을 무수히 날려 보내도 내가 먼저 끝내지 못하여 술꾼처럼 사연을 푼다.

편지뿐일까. 까르르까르르 잘 웃는 어린 나에게 "웃음꽃이 길어지면 눈물 꽃이 핀다"고 할머니는 말씀하셨다. 봄날, 친구 집에 꽃씨를 얻으러 갔다가 서로 바래다주는 것이 꽃 피고, 잎 지고, 눈 위에 발자국이 다 녹아도 단박에 발길을 끊지 못하니, 다시 또 봄이 왔다.

그치지 못하는 것이 나의 병이다. 웃음만 헤픈 것이 아니라 친절도 헤프다. 멈추면 비로소 보인다고 했던가. 쉼 없이 사람들과 소통 중이다. 상대들은 어쩌다 한번 생각하는 것을 나는 그게 전부인 양 붙잡고 매듭의 고를 찾는다. 뒤엉킨 실타래를 뚝 끊어서 가닥을 뽑아 쓰는 지혜가 필요할 때다. 남의 사연을 무시하지 못하니 밤낮 혼자 촘촘하게 관계를 뜨개질하고 있다.

왜인가? 아버지는 엄마와 나를 두고 떠났다. 내가 여기 있다고 몸짓하지 않으면 또 누군가 내 곁에서 떠나지 않을까 겁을 내는 아린 상처다. 소외당함이 두렵다. 늘 남의 시선과 평가에 안테나를 세운다. 다 사이좋게 잘 지내고 싶다. 전생에 나는 취옹醉翁 선생의 후예였던지 상량상량商量商量 궁리가 많다. 어떤 이들은 글 쓰는 사람을 이중인격자라고 말한다. 나는 늘 생각이 많으니 '사중思中인격자'다. 마우스 하나로 로그아웃하면 닫히는 온 오프가 분명한 사람이 되고 싶다.

"지지!" 그칠 때를 알아라.

아기일 때부터 듣고 자란 입말 '지지知止'를 잊고 사는 동안, 내 양심의 규방은 비어 있다. 본마음은 외출 중이다. 어디로 갔을까. '저런~!' 행랑채에서 손님과 노닥이고 있다. 어느 불청객은 벌써 내 방에서 떡 하니 주인 행세를 하고 있다. 그들의 이름은 '주·색·재·기酒色財氣'다. 술손님, 호색손님, 재물손님, 건강손님이 내 방에서 서성이며 서로 알아서 잘 모시라고 내게 엄포를 놓는다.

그렇다. 기분이 좋아도 한잔, 나빠도 한잔 홀짝홀짝 술을 자주 마신다. 느닷없이 강가에서 휘파람을 불어주던 소년이 그립기도 하다. 내가 가장 가난하다고 여기던 시절, 나는 목돈 1백만 원만 있으면 베풀고 살겠다고 다짐했었다. 지금 나는 당장 생계비로 쓰지 않아도 되는 통장을 양손에 쥐고도 성에 차지 않아 만리장성을 쌓는다. 만리장성이 무슨 소용인가. 건강해야 다 지킨다며 좋은 음식을 찾아 먹으며, 점점 마른 표고버섯같이 변하는 얼굴을 외면하고, "거울아, 거울아 누가 세상에서 제일 예쁘냐?" 나르시시즘에 빠져 아침저녁 거울을 본다.

결코, 나는 어느 욕망에서도 벗어나지 못하고 있다. 나를 미혹시키는 호객꾼들을 잘 대접하여 고깝지 않게 해줘야 한다. 짧은 문자나 편지 한 통에도 마음의 허세를 다 쏟아붓는 성정이니, 그 무엇을 매몰차게 따돌릴 수 있을까. 다 껴안고 살기에는 벅차다. 공연히 기를 쓴다. 객기客氣다.

'명성과 생명, 어느 것이 절실할까. 생명과 재화 어느 쪽이 소중할까. 중략~, 욕망을 눌러 스스로 만족함을 알면 욕되지 않고, 분수를 지켜 능력의 한계에 머물 줄 알면 언제까지나 편안할 수가 있다.' 노자 도덕경에 나오는 말이다.

지지만큼 경을 치는 말이 또 있을까. 만물이 소생하는 계절이다. 개나리, 진달래 길섶에 양지꽃과 제비꽃, 꽃의 일은 꽃에게 맡기자. 새 가방 메고 입학하는 어린이들. 결혼하는 신랑 신부들, 새로 입사한 산업의 역군들, 시작하는 모든 생명에 희망을 맡기자. 그럼, 나는 뭘 하지? "지지!" 우선 멈추자. 남들에게 잘 보이고 싶은 욕심을 싹둑 자르자. 이제 노자의 이름을 빌려 "노자, 노자, 글에서 놀아. 안 쓰면 못 노나니♫" 나는 한동안 독자로서 밑줄이나 긋겠다.

기다리던 봄이다.

뜰에서 가르치다

아기가 태어났어요.

예전에 어른들이 말씀하시기를 아이들은 제 먹을 것을 가지고 태어난다고 했어요. 요즘은 아이를 맡아 키워줄 사람도 심지어 만들 시간조차 없다고 엄살입니다. 아이 하나에 경제적 부담이 너무 크다고 울상이죠. 어찌하겠어요? 이미 나온 아이를 다시 들어가라 할 수도 없고요. 무자식 상팔자 유자식 상팔자, 어느 것이 정답일까요. 자식을 교육하는 일은 지극한 고행일 것입니다.

까꿍覺窮, 네 몸이 어디서 왔는지. 도리도리道理道理, 머리를 써서 세상 도리를 깨달아라. 곤지곤지困知困知, 곤궁해지면 지식을 얻어라. 잼잼潛潛, 요동치지 말고 인내심을 가져라.

이비이비理非理非, 만져서는 안 되는 물건이다. 따로따로他路他路, 다른 사람의 도움 없이 너의 갈 길로 가라. 지지知止, 그칠 때를 알아라. 유희 같은 손동작으로 예전에도 아기 때부터 교육했습니다.

『소학』에서 사람이 태어나 8세가 되면, 물 뿌리고 쓰는 것부터 가르쳤다고 하면, "그럼, 소는 누가 키우노?" 항의 시위를 하겠죠. 지금은 학교에 갔다 와서 참고서인 전과 한 장 베껴 쓰면 숙제가 끝나는 세상이 아닙니다. 공부보다 사람이 되라고 하고 싶지만, '엄친아' 아이들이 영어 유치원 다니고, 특목고 가고, S대 가고, 대기업에 취업하니 내 아이도 부지런히 따라갈 수밖에요. 부모가 조정하는 대로 잘 큰 아이가 왜 세상을 감당하지 못하고 돌연 잠적해버리거나 우울증세에 시달릴까요. 그들의 행복은 누가 책임져 줄까요?

큰 나무 밑에 작은 나무가 자랄 수 없습니다. 그늘이 너무 커요. 어느 기업의 회장님처럼 야구방망이를 들고 옥상에 올라가 아들을 위하여 가해자를 때려줄 수는 없잖아요. 명예와 돈으로 해결하는 힘이 있다면 끝까지 참견할만합니다. 『고문진보』에 나오는 종수곽탁타種樹郭橐駝는 곱사등이입니다. 그러나 나무 하나는 기가 막히게 잘 키웁니다. 나무의 본성에 따라 해준 다음, 아주 내버린 것처럼 합니다. 그런데 다른 사람들은 줄을 세워 심어놓고 학원과 과외 방을 전전 궁궁하며 새 흙으로 계속 바꿔줍니다. 나무를 지나치게 사랑한 나머지, 밤낮으로 어루만져 주며 게임을 하는지, 야동을 보는지? 부모의 눈이 CCTV처럼 작동합니다. 오로지 너만을 사랑한다며 나무껍질에 손톱자국을 내어 나무가 살았는가, 죽었는가, 자존심을 건드리고 흔들며 다 너를 위해서라고 하니, 원수가 따로 없습니다.

『맹자』에 알묘조장揠苗助長이라는 문구가 있습니다. 말 그대로 알면서 조장하는 거죠. 맹자 공손추 편에서 송나라의 어떤 어리석은 사람이 자신의 논에 벼가 빨리 자라지 아니하는 것을 민망히 여깁니다. 나락은 농부의 발걸음 소리를 듣고 자란다죠. 매일 나가서 보면 내 논의 벼만 늦게 자라는 것 같습니다. 조급한 나머지 어느 날, 아침 일찍 논에 나가 온종일 아직 여물지 아니한 벼 이삭을 한 포기 한 포기 목을 길게 다 뽑아 줍니다. 집에 돌아온 아비는 처자식 앞에서 "나의 삶은 너무나 피곤하다"며 한탄을 합니다. 글쎄요. 나는 그렇지 않다고요. 어디 그 옛날의 송나라 어리석은 사람만의 이야기일까요.

걱정도 팔자입니다. "배움을 끊으면 근심이 없다"고 『노자』는 절학무우絕學無憂라고 하네요. 인간들이 학문 따위에 힘쓰기 때문에 걱정이 많아진다는 거죠. 처음부터 공부를 안 하면 걱정 따위가 없다. "응" 하면 어떻고 "예" 하면 어떤 가. 본질은 똑같다고 유학의 예의범절 논리를 신랄하게 뒤엎 습니다. 정말 '아는 것이 병'인 식자우환識字憂患입니다. "사람 이 배우지 않으면 어둡고 어두운 밤중에 길을 가는 것과 같 다"며, 세상을 등지고 낚시나 하는 강태공조차도 배우라고 한 말씀 하십니다. 도대체 하라는 말인지, 하지 말라는 말인 지. 천명天命을 아는 이후라면 몰라도 어찌 어린이나 청소년, 그리고 젊은이가 배우지 않고 살 수 있을까요. 용기가 있으 면 선택은 자유입니다.

조선시대 책만 읽던 바보 이덕무는 자식의 불행을 세 가지 로 나눕니다. 첫째, 소년등과. 둘째, 부모덕에 취직하는 것. 셋째, 말을 잘하는데 글까지 잘 쓰는 것. 멋지죠? 요즘 엄마 들이 바라는 로망입니다. 그렇습니다. 정보화시대는 검색하 면 다 나옵니다. 잘하면 신문에 나오고, 못하면 검찰청에서 오라 하고, 돈 많이 벌면 세금고지서가 나오고, 골목골목 곳 곳에서 시시각각 몰래카메라가 감시하는 우리나라입니다.

여태까지 동양고전으로 자녀 사랑을 살펴봤습니다. 그렇 다면 명분을 앞세워 사람답게 사는 유학의 시조이며 사립학 교의 효시인 공자는 어땠을까요. 제아무리 '눈높이 교육'의

대가인 공자라도 자기 자식을 가르치는 방법은 남다를 텐데…. 혹시, 고매한 척 가장하며 몰래 고액과외를 시키는 것은 아닐까. 아마 쥐도 새도 모르게 원정출산을 했거나 조기유학을 보냈을지도 모르지. 어쩌면 방문을 잠가놓고 꿀밤을 쥐어박으며 아비가 손수 가르치는 것은 아닐까? 그 당시도 궁금했을 것입니다.

진항이라는 사람이 공자 아들 리鯉에게, 혹시 자네 아버님의 특이한 가르침이 있느냐고 묻습니다. 아들이 어느 날 빠른 걸음으로 뜰 앞을 가로질러 빠져나가는데, 공자가 홀로 뜰에 서서 "시를 배웠느냐?"(인문학) "시詩를 배우지 아니하면 남과 더불어 말할 수 없다." 또 다른 날 뜰 앞을 가로질러 빠져나가는데 "예禮를 배웠는가?"(실천) "예를 배우지 아니하면 세상에 나서서 행세할 수 없다"고 하셔서, 시를 배우고 예를 배웠다고 말한다. 진항이 그 말을 듣고 하나를 물었는데, 시를 배우고 예를 배우고 군자가 아들을 멀리하는 것을 배웠다고 말합니다.

공자가 '뜰에서 자식을 가르쳤다' 하여 '이정鯉庭'이라고 합니다. 어디, 자식뿐 인가요. 가족도 친구도 지나치게 가까운 친압親狎은 금물입니다. 너무 가까우면 서로 참견하고 찌르게 됩니다. 난로와 같고 고슴도치와 같이 서로 온기를 잃지 않을 정도의 거리 두기입니다. 지구와 달, 해와 달처럼 끄는 힘, 미는 힘이 조화를 이루어야 한결같이 오래 갈 수가 있습니다.

예전에 저희 엄마도 저에게 늘 말씀하셨죠. "나야 뭘 아느냐? 네가 알아서 해라!" 요즘 어른들은 너무 똑똑해요 "니들이 뭘 알아?" 울타리 쳐진 뜰 안뿐만 아니라, 아이들 머릿속까지를 지배하려 듭니다.

솔직하게

덕으로 베푸는 일이 가능할까.

예수는 "원수를 사랑하라" 사랑으로 베풀라고 한다. 노장은 무위자연으로 자연스럽게 "냅둬"다. 부처는 더 넓다. 무아無我의 경지다. 내가 없는데, 미움이 어디 있고 원수가 어디 있을까. 착하게 살면 천당 가고 악하게 살면 지옥 간다. 극락왕생과 지옥불은 인과응보다. 사후死後가 있는 종교다.

혹자가 말하였다. 원한을 덕으로 갚는 것이 어떻습니까? 공자께서 "덕을 무엇으로 갚을 것인가? 원한은 정직함으로 갚고, 덕은 덕으로 갚아야 한다"고 말씀하셨다. 공자님은 사후가 없다. '지금 여기' 현재를 살아간다. 자로가 죽음에 대해 물었을 때 "삶도 모르는데 어찌 죽음을 알겠느냐" 귀신

섬기는 것을 물으니, 산 사람이나 잘 섬기라고 한다. 멀리 가신 분을 위한 '신종추원愼終追遠'에 얽매이지 말고, 오늘 내 옆에 있는 사람, 내 가족, 내 이웃들과 조화롭게 생활하는 일상을 권한다. 가장 작은 단위, 너와 나에서 시작하는 관계의 미학이다.

무엇으로 원한을 갚을까. 성정이 조급한 분들은 "눈에는 눈, 이에는 이" 이열치열以熱治熱로 똑같이 갚아주자고 덤빈다. 전쟁선포다. 그대가 내 코피를 터뜨렸으니까 나도 그대의 쌍코피 정도는, 어쩌면 잠시 콧구멍이 시원할 수 있을지 모른다. "아아아~ 잊으랴! 어찌 우리 이날을~" 6월 25일을 기다렸다가 맨주먹 붉은 피로 갚으러 쳐들어갈까. "흙 다시 만져보자 바닷물도 춤을 춘다~" 일제강점기의 설움을 아베 총리에게 광화문 광장에 와서 우리 국민 앞에 무릎 꿇고 사죄하라면 그가 행할까. 중국의 시진핑을 오라 하여 청와대 춘추관 앞에서 세 번 절하고 아홉 번씩 머리를 조아리라고 할까. 국제정세는 남북, 한일, 한중이 맞붙어 승부를 가리는 월드컵 축구경기가 아니다. 땅덩어리의 크기로 핵무기로 대적할 수 없다. 서로 고유한 방법과 문화로 협상하며 공존하는 지구촌이다.

그래, 바로 그거다. 우리는 유일한 동방예의지국이니 '인

仁'의 측은지심을 무조건 발휘하는 것이 좋을까. "잘 살아보세, 잘 살아보세~" 노래하다 "아아~ 대한민국, 아아~ 나의 조국" 자랑스러운 나라가 되었다. 대외적으로 안팎이 정말 잘살고 있는 걸까. 혈세를 걷어 후덕하게 퍼주며 제발 평화롭게 좀 살자, 평화, 평화…, 언제까지 아이 달래듯 할까. 언제까지 UN에게 치안정리를 부탁할까. 우리가 어려울 때 미국이 원조를 해줬으니, 막무가내 트럼프의 막말에도 고개 숙이며, 혹시라도 모를 무력도발을 막기 위해 방위비 분담금과 미국산 신무기를 자꾸 사야 할까. 그들은 평화라는 구실로 계속 부추기고 겁을 주며 뭐든지 비싼 값으로 우리에게 팔뿐이다. 인의예지仁義禮智 균형 감각이 절실하다.

집의 어머님은 친인척들에게 아주 잘 하셨다. 조실부모하여 형제가 없는 아버님께 시집와서 보리쌀 서 됫박으로 내외를 핍박했던 분들을 잊지 않으셨다. 취업을 못 해 힘들게 사는 조카에게 운전면허를 따도록 비용을 대주고, 번듯하게 입고 나갈 양복도 사주셨다. 조카뿐인가. 그의 자녀들이 학업을 마칠 수 있도록 등록금도 챙겨주고, 친정 조카딸이 어미 없이 시집을 가게 되면 폐백음식까지 준비하셨다. 아기가 태어나면 미역국과 기저귀 포대기 배냇저고리를 싸 들고 가서 산바라지도 마다하지 않으셨다.

나는 어머님의 며느리다. 대학생이던 신랑에게 시집와 아이를 낳았을 때도, 아이들이 중, 고등학교와 대학 입학할 때도, 며느리에게 손자가 먹은 분유 값까지 월부로 갚으라셨다. 부모가 책임감 있게 살아야 자식이 보고 배운다는 교훈이시다. 나중에 병원 침대에서만 생활하시면서도 한 사람 한 사람을 따로 병실로 불러 베푸셨다. 기력이 아주 쇠하신 어느 날, "에미야, 얼추 다 갚았다"며 한풀이 마무리를 하셨다. 그동안 얼마나 힘이 드셨을까. 부모들이 내쳤던 몰인정을 그의 자식들에게 덕德으로써 갚아주셨다.

은혜로운가. 공자께서는 원한은 정직함으로 갚으라고 하신다. 직直은 직량直諒이다. 바르고 성실하면 된다. 지공무사至公無私, 지극히 공평하여 사사로운 감정이 없게 하라신다. 덕으로 원한을 갚는 일은 자신을 속이는 일이다. 오른뺨을 맞으면 왼뺨을 대줄 것이 아니라 "아얏!" 아프다고 말해야 한다. 그것이 정직이다. 사람인데 어찌 증오의 감정이 없을까. 노자 도덕경에 "원한이 있는 자에게 은덕으로써 갚으라[報怨以德]"는 말은 아마도 앙갚음을 하지 말라는 뜻일 게다.

나에게도 "어디, 두고 보자" 괘씸한 옹치雍齒 몇 사람이 있다. 고까운 병통이다. 안 보고 살 수 있으면 좋으련만, 정말 '칸부치看不起' 하고 싶다. 못 본체 무시하며 모르쇠 할 만큼

배짱이 두둑하지 못한 나는 미운 마음을 아닌 척 상냥함으로 가린다.

중국 명 말에 불화佛畵로 유명한 화가가 있었다. 그는 그림을 그리려고 할 때마다 반드시 목욕재계하였다. 그의 이름은 '정중鄭重'이다. 정중이 묘약이다. 우리는 산이 아니라, 돌멩이에 걸려 비틀거린다. 이제 나는 보은도 배은도 여력이 없다. 다만 자신에게 솔직하고 싶다. 그냥 그대로, 내 몸과 내 마음에게 우선 정중하려고 한다.

돈의 무게

누군가 현수교 위에서 돈을 뿌렸다. 꽃잎처럼 가볍게 날렸다. 돈은 벌거벗은 맨몸으로 시퍼런 바다를 배경 삼아 적나라하게 춤췄다. 불꽃놀이로 유명한 광안대교는 4차선 도로로 속도제한을 하는 곳이다. 뉴스로 보니 다리 위가 온통 주차장인 듯, 차와 차 사이로 사람들이 북새통이다. 한 장이라도 더 주우려는 행동이 CCTV로 다 찍혔다. 1달러짜리 지폐 24장이었다고 한다. 나도 만약 그 자리에 있었다면 차에서 내렸을까.

어느 날 도서관 계단에서 어느 분이 수줍게 인사한다. 반가워하는 눈빛을 보니 안면이 있는 사이일 텐데…. 나는 전혀 기억이 나지 않는다. 그녀는 내 수업에 참석한 적이 있었다고 한다. 교재 대를 내니 "선비는 손으로 돈을 잡지 않는다"며 책을 내밀어 위에 올려놓으라고 말했다는 것이다. "아~! 제가 그렇게 겸손하지 못했었군요." 지금 돈 줘보세요. 냉큼 잘 받는다고 우스갯소리를 했다. 나는 그 민망한 순간을 피하려고 언제나 봉투 하나를 미리 준비하여 알아서 넣어달라고 부탁한다. 어찌하였든 별난 사람이 되었을 터, 그 모습이 잊히지 않는다는 것이다.

어려서부터 돈을 만질 기회가 없었다. 우리 어렸을 때는 설날이나 추석, 입학이나 졸업, 생일날에 아이들 손에 돈을 직접 쥐어주지 않았다. 어린아이들에게 돈은 가당치 않았다. 아직 세상물정 모르는 아이들에게 돈은 점잖지 못한 물건이라고 여겼다.

직장에 들어가 처음으로 월급봉투를 받았다. 우리 세대는 자신이 한 달 내내 힘들게 일하고도 월급봉투를 엄마께 꼬박꼬박 갖다 드렸다. 요즘 우리 아이들이라면 그 상황을 상상이나 할까. 당장 "왜?" 빚졌느냐고 물을 것이다.

돈의 옷은 봉투다. 아담과 이브가 나뭇잎으로 중요 부위를 가리듯, 부끄러움을 가리는 염치다. 축하하는 일에 맨 돈만 봉투에 넣지 않았다. 그건 속적삼과 속곳을 갖춰 입지 않고 치마저고리를 입은 규방 아씨의 품행과 같다. 축원을 담은 문구에 연월일시와 주는 사람의 이름을 손수 붓으로 써서, 속지로 돈을 감싸 넣어야 한다. 사람만 인격이 있는 것은 아니다. 개도 견犬격이 있듯, 돈도 격을 갖춰야 귀하다. 돈에 대한 예의다.

언제부터인지 슬그머니 속지가 사라졌다. 은근하게 펼쳐 보는 운치가 없다. 세종대왕 다섯 장의 부피면 좀 괜찮을 텐데… 아무래도 신사임당 여사가 주범인 것 같다. 한 장만 넣으면서 속지를 넣으면 실속 없는 사람으로 비칠 염려일까. 아니면 온라인으로 축의금이 오고 가는 세상이라, 통장에 찍힌 액수가 더 중요해서일까.

어느 분이 아이 혼사에 실용적인 제안을 했다. 참석할 수 없으니 은행 계좌번호를 불러달란다. 차마 듣기도 민망하여 귓가에 흘려버렸다. 지금 생각하니 상대방이나 나나 융통성이 없기는 바늘구멍이다. 예전에 축의祝儀는 촌지봉투로 하지 않았다. 잔치국수 한 다발이나 초상에는 죽을 쑤어 동이에 담았다. 가세가 조금 낫다고 하여 죽은 동이에 꾹꾹 눌러 담거나 수북하게 올려 담을 수가 없다. 축의는 저울에 단다는 말은 과례過禮를 삼가는 배려였을 것이다.

내가 처음 돈을 본 것은 분실초등학교 시절이다. 여름방학이 임박한 어느 날, 키다리 여름꽃 한 가장이 밀짚모자에 꽂은 청년이 자전거를 타고 운동장 한 바퀴를 돌면서 "아이스케키~~~" 길게 외쳤다. 창밖을 내다보시던 선생님이 "아이스케키!" 큰 소리로 부르셨다. 그리고 셔츠 주머니에서 지폐 한 장을 꺼내시는 게 아닌가. 그때 처음 봤다. 먹는 것을 돈 주고 사는 모습을. 뚫어진 세숫대야, 구멍 난 고무신, 과수원 철조망 끊은 것으로 엿을 바꿔먹는 것을 먼발치에서 본 적은 있으나, 실제 돈이라니. 막대기에 얼음을 꽂은 아이스케키도 처음 보았다. 그때 아이스케키 맛이 달콤했는지 시원했는지, 정말 먹기나 했었는지는 기억에 없다. 오로지 내가 본 것은 돈을 어떻게 써야 하는지, 돈의 가치를 본 것이다.

지난해 아버지 산소에 갔다. 고향 선산 밑에 작은어머니가 계신다. 오랜만에 만난 조카딸에게 밥도 차려주고 고구마와 참기름, 늙은 호박까지 넝쿨째 바리바리 차에 실어주신다. 나는 차에 오르면서 슬며시 작은어머니 허리춤에 초록색 봉투 하나를 챙겨 넣었다. 작은어머니는 "얘는, 같이 늙어가면서…" 한사코 도로 내 손에 쥐여주고, 나는 나대로 "작은어머니께 용돈 한 번 제대로 드린 적이 없다"며 다시 찔러 넣고 봉투를 들고 옥신각신했다. 사촌 동생이 쳐다보고 있으니 봉투가 더 민망하다. 작은어머니도 나도 있는 힘껏 봉투를 떠밀었다. 서로 감당할 수 없는 정情의 무게다.

그리고 고속도로 이천 휴게소에서 가방을 열다가…. 어찌, 이런 일이! 돈 봉투가 내 가방 안에 그대로 들어있다. 몇 장 더 챙겨 넣는다고 다시 보태는 과정에서 봉투가 바뀌었다. 그리하여 작은어머니께는 빈 봉투를 드린 것이다. 세상에서 가장 무거운 돈은 정만 담은 빈 봉투다.

호련

瑚璉

제3장

체크인 체크아웃

체크

인

체크

아웃

풀꽃 꽃병

발 두 개에 의지해 고개를 살짝 치켜들고 있다. 내 검지손
가락 길이만 하다. 엎드려 있는 꼴이 마치 애벌레 같다. 그렇
다고 꿈틀대지는 않는다. 얇고 투명한 유리병으로 언뜻 보면
작은 비커 같다.

강아지풀처럼 휘어지는 줄기라야 꽂을 수 있다. 제비꽃 세
송이 정도는 넉넉하고 민들레는 꽃송이가 너무 커 감당하
지 못한다. 여뀌나 타래 난이 제격이지만 어쩌다 네 잎 클로
버를 찾은 날, 잎과 토끼풀꽃을 함께 꽂으면 가장 잘 어울린
다.

처음에 꽃을 꽂으면 꽃줄기가 병 모양대로 비스듬하게 누
워있다. 한나절이 지나면 어느새 기지개를 켜고 까치발로 아

기처럼 일어서 있다.

평소에는 늘 장식장 한 귀퉁이에 들어 있다가, 외출 나오는 날은 동그란 주둥이가 먼저 벙싯거린다.

이 꽃병은 누군가와 마주 앉아 차를 마실 때, 찻상에 자주 오른다. 차 한 잔을 핑계 삼아 정담을 나눌 때 귀 기울여 듣는 자세로 한몫한다. 찻물을 몇 번이나 우려 마셔도 풀꽃을 예사로 보는 이와는 다음을 기약하지 않는다.

예전에 나는 이 꽃병과 닮았었다. 눈에 잘 띄지 않으면서도 제 빛깔 제 향을 낼 수 있도록 담아주는 쓰임새로 살았다. 사치라고 해봐야 기껏 손가락이나 팔목에 풀꽃을 묶어 풀꽃공주가 되는 일이었다. 누구와 눈만 마주쳐도 다소곳이 고개 숙이고 조금 더 오래 쳐다보기라도 하면 이내 울음을 터뜨리던 수줍은 소녀였다.

이 꽃병처럼, 처음 만난 사람들은 나를 잘 보아내지 못한다. 왜소하고 볼품이 없어 남의 눈에 잘 드러나지 않는다. 누가 부추기는 부채질이라도 해줘야 그 바람에 목소리를 냈었다.

시어머님은 나를 처음 보던 날을 이야기하셨다. 아들에게 오는 편지를 보며 외모가 세련된 도시 아가씨일 것이라 상상하셨다고 한다. "우에, 그리 촌스런 딸애가 서울에서 왔겠노"

로 그해 여름을 회상하셨다.

화장기 없는 민얼굴에 단발머리, 모양도 색도 없는 무명 쌀자루 같은 원피스를 입고 발바닥이 땅에 닿을 정도의 낮은 가죽 샌들을 신었었다. 장신구 하나 걸고 차지도 않은 생긴 그대로의 모습, 본바탕이 그렇게 생겼다. "그래! 그때 정말 촌스러웠다"고 누군가 옆에서 거들면 어머님은 정색하시며 "걔는 촌스러운 것하고는 다르지. 소박한 거지." 후한 점수를 주셨다.

촌스러움은 바탕색이라 치더라도 대범하지도 못하다. 소인의 성정을 닮아 그런지 나는 작은 것을 좋아한다. 과일을 살 때도 큰 것보다 작고 예쁜 것을 고른다. 큰 것을 다 잃어도 작은 것 지키는 소중함에 자존심을 건다. 그런 내 마음을 알아주기라도 하신 듯, 어머님은 꽃의 나라인 네덜란드에서 작은 유리꽃병을 사다주셨다. 그 후 나는 풀꽃여인이 되었다.

이 꽃병에 한 줄기 풀꽃을 꽂고 들여다보고 있으면, 다 버려도 좋을 성싶게 편안해진다. 욕심이 꽃병 크기만 하게 줄어들기 때문이다.

요즘 나는 병통이 생겼다. 우쭐댄다. 허세를 부리며 나서기를 좋아하는 외향적인 사람이 되어버렸다. 관심이 있는 일에는 목소리를 내며 덤벼든다. 곁에서 지켜보는 이들은 차마 대놓고 당돌하다고 하지 않고, 민망한 목소리로 당당하다고들 한다.

도심에서 넓은 아파트, 큰 냉장고, 큰 TV, 큰 식탁을 추구하며 네모나게 살다가 어느 날 문득 둥근 선이 그리워진다. 고향의 초가지붕처럼 본래의 모습으로 돌아가고 싶은 향수병이다.

작은 산골 마을. 그곳에서 봐 주는 이 알아주는 이 없이도, 별을 바라보던 풀꽃 닮은 한 소녀가 꽃병 안에 서 있다.

따듯한 외로움

겨울 햇살 같은 아쉬운 시간이 있었다.

검은 뿔테안경을 끼고 〈러브스토리〉의 여자주인공처럼 지성인다운 연애를 하고 싶었다. 가당키나 한 이야기인가. 영화를 보던 그 당시 나는 절박했다. 취직이 우선이었다. 주산학원에서 손놀림은 빨랐으나 당최 숫자에 약한 나는 고통스러웠다. 설상가상으로 폐에 하얀 찔레꽃이 만발하여 붉은 찔레 열매를 토해냈다. 나에게 지성知性은 낭만이었다. 책이라도 실컷 읽을 수만 있다면 하얀 눈밭에 뒹굴며 연애하다 죽어도 좋을 성싶었다. 영화 속 여주인공은 도서관 사서였다. 그때 나는 사서를 꿈꿨다.

이덕무 그도 규장각奎章閣 검서관이었다. 세상에 나만큼

복 받은 사람이 또 있을까? 길음동 육교 밑의 작은 책방을 드나들며 몰래 한쪽씩 책을 읽던 가난한 소녀가 이렇게 책에 나올 글까지 쓰게 되니, 출세치고는 사대부가의 입신양명 立身揚名이나 다름없다. 그 필연의 이름이 '청복淸福'이다. 청복은 선택한 가난이다. 군자는 회덕懷德이라 했던가. 덕을 그리워하는 사람만이 누릴 수 있는 청렴한 복이다.

나는 지나치리만큼 성정이 상냥하다. 겉으로 보이는 모습이 '명랑모드'라 해서 꼭 그 사람의 삶 자체가 명랑하지는 않다. 오히려 우울한 부분에 베일을 치느라 일부러 반음을 높일 때가 많다. 성품이 달그림자처럼 조용한 이들은 나 같은 사람을 몹시 낯설어한다. 그래서인지 나는 이덕무 그의 외로움을 알 것 같다. 사회적 출신성분이 '우울모드'다. 그를 밝은 성격으로 이끄는 것은 무엇이었을까. 바로 책이다. 책을 보며 마음에 등불을 켜는 시간이 그의 실존이다. 허구한 날 좁은 방 안에 틀어박혀 세월을 허송하는 것처럼 보이지만, 날마다 책 속을 누비고 다니느라 숨도 가쁘고 가슴도 벅차고 다리도 뻐근했다고 한다.

"기분이 울적한 날이면 나는 조용히 앉아 논어를 읽곤 했다. 그날 밤 나는 분명히 나를 위해 이불이 되어준 『한서』의 몸놀림을 보았고, 제 몸으로 바람을 막아 보라는 『논어』의 목소리를 들었다." 이덕무의 '한서 이불과 논어 병풍'에서처럼, 심성의 따뜻함을 지키는 것이 자존감이다.

나는 시립 도서관에서 시민을 대상으로 논어를 강독하고 있다. 십 년이면 강산도 변한다는데, 어느덧 20년이 넘었다. 강이 산이 되었는지, 산이 강이 되었는지 지적도를 뗄 문서가 없으니 그건 잘 모르겠다. 나는 옳은 선비도 아니요, 감히 학자는 더욱 아니다. 부박한 내가 어찌 그 옛날 춘추전국시대 성인聖人의 말씀을 학문으로 전달하겠는가. 논어를 함께 강독하면서 그저 내가 설 자리 앉을 자리, 나설 때와 물러날 때를 분별하며 한 구절씩 또박또박 읽는다. 내가 설명하지 않아도 본문은 『논어』 책 안에 다 있다. 내가 하는 일은 내 식구들과 내 이웃들이 살아가는 이야기를 하며, 그런 문구가 여기에 있다고 안내만 하는 내비게이션 역할이다. 결국, 인문학은 사람 사는 이야기다. 나는 어떤 일 앞에 곧잘 "옳거니! 이 일은 내게 딱 맞는다"라고 생각하는 버릇이 있다. 그렇게 생각하면 실제로 에너지가 나온다. 그리고 온 힘을 다한다. 때론 펄펄 뛰는 고등어가 되고, 안간힘을 쓰며 일하는 개미가 되며, 재주넘는 다람쥐가 되고, 나무에서 떨어지는 원숭이가 되어 매주 매일마다 논어를 소리 내어 읽는다.

이덕무가 백탑 아래서 벗들과 지내듯, 수강자들을 만난다. 인생 뭐 있나? 뭐 있다! 서로 인정하고 인정받을 때 고래도 춤춘다. 어느 장소에서건 민낯의 가장 나다운 솔직함으로 임한다. 내 입으로 글을 읽어도 듣는 것은 나의 귀요, 내 손으로 글을 써도 보는 것은 나의 눈이니, 오로지 내가 나를 벗 삼던 '간서치看書痴' 같은 시절이 내게도 분명히 있었다. 옹색한 환경에서 세월이 준 선물은 바로 마주 앉은 벗들이다. 박제가 유득공 백동수 이서구 홍대용 박지원이 어디 조선 시대에만 있었을까. 그들의 분신이 오늘 내 앞에 있다.

나는 호걸다운 바둑이나 장기는 어디 갔던지, 요즘의 춤노래 오락 등에는 신바람이 없다. 강의실 안에는 봄날의 신록처럼 싱그러운 여대생, 깎아지른 절벽처럼 강파른 청년, 눈길이 햇솜 같은 선배, 큰소리로 질문하는 어르신, 손가락 하나로 검색의 달인들이 시간마다 스마트폰을 들고 찍으며 확인한다. 나는 그분들을 보며, 차이와 다름을 배운다. 한결같이 꽃시詩의 언어로 꽃씨를 심어주는 클라우디아 해인 수녀님, 오직사랑, 노라, 빙호, 우아미, 한 번도 만난 적 없어도 스승으로 삼는 한시미학 선생, 뼛속까지 내려가서 쓰라는 나탈리 골드버그, '포정해우庖丁解牛'같은 글을 쓰라는 장자, '불평즉명不平則鳴'의 불우를 자산으로 바꿔준 한유韓愈같은 임들이 나의 버팀목이다.

"덕은 외롭지 않다, 반드시 이웃이 있다〔德不孤 必有隣〕"고 공자께서 '필유린'을 말씀하셨다. 훗날, 글을 읽다가 가끔 벗이 찾아와주면 얼굴에 웃음꽃을 피우며, 아무도 알아주지 않는 세월을 보내고 있어도, 마음이 편안한 사람으로 살고 싶다. 내게 있어 애지중지 글 상자를 전해주는 고운당은 누구고, 따스한 눈빛으로 지켜봐 주는 연암은 누구인가. 부족한 덕으로 말미암아 소중한 나의 벗님들을 잃을까, 늘 노심초사한다. 그래, 이제는 겁내지 말자. 내가 먼저 다가가지 않으면, 누가 나와 노닐어 주겠는가.

나는 어떤 벗일까.

아침 창가에 살며시 스며들어 책상 위를 환하게 비춰주다가, 석양에 툇마루의 손바닥만 한 온기라도 남길 수 있는 사람이라면 좋으련만…. 혹독한 겨울을 이겨낸 봄 햇살처럼 나는 따듯한 사람이 되고 싶다.

이력서

"오우~, 멋진데."

세상 부러울 것 없어 보이는 국제적인 사모님께서 네임카드를 목에 걸고 싶다고 한다. 전에는 이름표를 근무 책상 앞에 붙였다. 이제 관료주의 제복은 책임감이 무거워졌다. 아예, '꼼짝 마라' 개목걸이처럼 옥죈다. 위아래로 이름표를 훑어보면 '너의 목줄은 내가 쥐고 있다'는 엄포다.

요즘은 일하는 자체가 능력이다. 나는 얼굴과 엉덩이가 매우 방정하게 생겼다. 착실하게 앉아 책 읽는 모양새다. 오로지 외모가 나라 국[國] 자처럼 네모반듯하여 길거리 캐스팅되었다. 꼭 국가의 기록이 담긴 서책처럼 보였던 모양이다. 내가 꿈꾸던 간서치看書痴로 '라이브러리언librian'이다. 지역의 작은 도서관에서 맡은 소임을 다하고 마칠 무렵, 문화공간으로 관을 발전시킬 인재가 필요했다.

일을 같이해온 집행부 선생에게 넌지시 부탁했다. 기관장의 자격이 필요하니 이력서를 제출하라고. "이력서요?" 깜짝 놀란다. 결혼하고 아이 둘 낳은 것밖에 없는데, 뭘 써야 되느냐고 되묻는다. 처음에는 장난하는 줄 알았다. 정말, 한 번도 써 본 적이 없다고 한다. 아니, 어떻게 이력서 한 장을 써보지 않고 여태까지 살았을까. "정말?" 정말, 정말이냐고 몇 번이나 물었다. 취임식 때 그의 이력을 보니, 명문 여자대학 출신이다. 대단하지 않은가. 우리나라 재원才媛들이 이력서 한 장을 써보지 않고 가정에서 아이들만 키웠다. 세계에서 가장 빠르게 선진국으로 도약함은 당연한 일이다.

'그대, 이력서를 써 본 적이 있는가?'

요 몇 년 사이, 초 중 고등학교가 얼기설기 겹쳐지는 친구들을 만난다. 30년 넘은 공백에 서울 달동네 출신 여섯 명이다. 저녁에 와인 한 잔씩 따라놓고 "얘들아, 내 말 좀 들어 봐" 이력서 한 번 써보지 않고 평생을 산 사람이 있더라. "말이 되니?"라고 물었다. 그만큼 나에게는 생각지도 못했던 일이다. 친구들은 이구동성으로 "정말, 팔자 좋은 양반들이지." 이력서 한 장에 팔자타령까지 부른다.

청소년기를 함께했던 내 친구들은 지금도 다 현역이다. 지난날, 대기업 재벌 총수의 비서와 경리를 지냈던 경력도 결혼이라는 이름에 묻혔다. 그 시절, 아이나 노인을 돌보거나 모시는 일이 훗날 직업이 되리라고 어느 누가 짐작이나 했을까. 우리들은 '학벌'이라는 단어는 모르고 오로지 주산이나 부기 타자 급수만이 최고인 줄 알았다. 산전수전 공중전을 겪으며 버텨온 세월의 보상인지 나와 친구들은 현재 유아원, 노인 병동, 복지관, 도서관 등 생활전선에서 일하고 있다. 일 년에 한두 번 만남도 휴가 날짜를 조절하느라 애를 먹는다. "세상, 참 웃기지 않니?" 환갑 넘어 출근하는 것이 부럽단다. 서로 묻고 대답하며, "그래, 맞아" 자식에게도 남편에게도 "당당하긴 해"라며 서로 위안이라는 안주를 씹는다.

'그대, 이력서를 써 본적이 있는가?'

나는 지금도 해마다 이력서를 쓴다. 고정적으로는 1년에 대여섯 장을 기관에 제출한다. 비정규직 시간 강사는 학기가 바뀔 때마다 재계약 이력서를 낸다. 평생에 내가 가장 부지런히 하는 작업이다. 처음 이력서는 고3 여름방학에 자필로 썼다. 고작 고등학교 졸업예정자에게 학력이나 경력에 무엇을 썼을까? 가혹하다. 1956년, 경기도 포천 출생, 1964년 정 교분실 국민학교 입학, 1969년 미아국민학교 졸업이다. 시시 콜콜한 이력을 펜촉으로 한 줄 한 줄 기록했다. 그때와 다름 없이 지금도 성실하게 손가락을 꼭꼭 눌러 자판을 찍는다.

오늘도 나는 다섯 군데 이력서를 제출했다. 새로운 정부 가 공공기간 채용비리를 바로 잡는단다. 학력, 경력, 해당분 야 자격증과 실적자료를 연도뿐만 아니라 월, 일까지 기재하 여 사실증명서를 모두 첨부하란다. 일일이 원본을 가져가 원 본대조 필에 사인도 한다. 나잇살이나 먹고 돋보기를 끼고 도 담당자들 앞에서 어릿어릿 겸연쩍다. 2차 면접의 질문에 서는 더듬거리기까지 했다. '이참에 일을 놓아버려' 순간, 순 간 숨어들고 싶다. 그러나 일자리를 준다는데, 이왕이면 따 뜻한 밥을 먹고 싶다.

집에 돌아와 나는 지금 이중 이력서를 작성하는 중이다. 소장용이다. 소장용은 한 줄씩 적을 때마다 감흥이 모락모락 하다. 작품이력이다. 무엇이 다른가. 기관제출용은 출생년도 부터 한 발 한 발 밟아 온 생존의 발자국이다. 문학 소장용 은 꿈으로 오르는 사다리다. 첫머리는 언제나 올해 오늘이 요, 맨 밑에 칸은 2001년 '에세이문학' 겨울 완료추천이다.

평생에 행복지수가 가장 떨어지는 시기가 사십 대라고 들

었다. 꿈을 향해 열심히 달리다가 자신의 꿈을 접는 나이란
다. 그렇다면 나는 얼마나 행운아인가. 나의 꿈은 바로 불혹
의 나이에 시작됐다. 40세까지 다 버려도 아까울 것이 없다.
중간중간 어느 해는 아무 실적이 없다. '나, 이렇게 멈춰있어
도 되는 거야' 어쩌면 나는 삶의 궤적을 남기기 위해 오늘도
문학의 허울로 글을 쓰는지 모른다.

　나이 사십이 되면 자신의 얼굴에 책임을 지라고 했던가.
주름이 유난히 많은 나는 잔주름 하나하나가 내 글의 행간,
나의 정체성이다. 어느 날, 느닷없이 글 쓴 이력마저 다 버
려야 할 것이다. 그때 또 어찌할까. 노르망디 상륙작전 짜듯
D-day를 잡아야 한다. 오늘부터, 아니면 3년 후, 더 길게
십 년 후는 어떨까. 또 미련이 동지섣달 움파 자라듯 웃자란
다. 어제 내린 하얀 눈은 오늘 내 앞길을 질척하게 할 뿐, 뒤
돌아보지 말자. 탕湯왕이 이르기를 '진실로 어느 날 새로워
졌거든, 나날이 새롭게 하고, 또 나날이 새롭게 하라!' 〔苟日
新, 日日新, 又日新 - 大學章句 〕오로지 새롭게, 새롭게.

　글이여, 나의 문학이력을 날마다, 날마다 새롭게 진화시키
기를!

욕파불능欲罷不能
- 나는 글을 이렇게 쓴다

저녁 무렵 초가지붕 위로 올라가는 연기가 아름다웠다. 마을은 평화로웠지만 내 마음속의 그림은 고요하지 않았다. 그림에는 항상 빈터가 많았다. 여백은 늘 눅눅하게 젖어 물이라도 한 방울 떨어지면 금세라도 물웅덩이가 될 것만 같았다.

'만물은 평형을 얻지 못하면 소리가 나게 되는데, 초목은 본래 소리가 없지만, 바람이 그것을 흔들어 소리가 나고, 물은 본래 소리가 없지만, 바람이 그것을 움직여 소리가 난다'고 한유韓愈는 '불평즉명不平則鳴'을 말했다.

편안하지 않으면 울게 되어 있다는데, 나의 유년은 한유처럼 배고프거나 춥지는 않았지만, 누군가가 타고 왔던 파란색 코로나 택시의 뒤꽁무니가 동구 밖을 빠져나가는 날이면 눈물이 나곤 했었다.

엄마의 이불장 속에는 늘 꿈 보따리가 숨겨져 있었다. 매화 파랑새 구름이 그려져 있는 〈그리운 당신께〉라는 제목의 일기장이다. 나는 자라면서 무슨 말인지도 모르는 습관적인 그리움을 배웠다. 나도 누군가에게 '그리운 ○○께'라고 편지를 쓰기 시작했다. 그리움의 대상은 꼭 누가 아니어도 좋다. 어떤 물상일지도, 아니면 내 안에 있는 나일지도, 어쩌면 배냇적 이전의 설움 같은 것일지도 모른다.

내가 글을 쓰는 것은 그리움을 만나는 일이다. 그리움은 나에게 어떤 한恨 같은 정서를 남겨주었다. 울컥울컥 그리움을 행간에 써 내려가다 보면 속이 후련해진다. 내 스스로 비위를 맞추면서 나를 어루만진다.

엄마는 날마다 화투 점으로 하루를 열었다. 그때 가령, 육목단이 떨어졌더라면 나는 매일 함박꽃처럼 웃으며, 줄무늬 주름치마와 리본 달린 핑크빛 블라우스를 입고 도화지에 열두 가지 빛깔의 크레파스로 그림을 그릴 수 있었을까. 어쩌면 엄마와 딸이 굽실거리는 불 파마를 하고 아버지와 동생도 다 같이 읍내에 나가 가족사진 한 장쯤 박았더라면, 아마 그랬더라면, 나는 문학 같은 것하고는 거리가 멀었을지도 모른다.

늘 허기진 마음으로 구석에서 책을 읽었다. 글 속의 남의 생각과 남의 생활을 들여다보며 올곧은 생활만이 나를 지켜줄 것이라 믿었다. 작정하고 일부러 시늉한 것은 아니었지만, 사람의 도리로서 해야 할 일과 차마 해서는 안 되는 일을 가늠하느라 자신을 단속했다. 자신의 마음 밭이 엉망이라며 매일 호미를 들고 김매느라 전전긍긍하며 살아왔다. 그런데 그 고달프게만 여겼던 잡풀들이 알고 보니, 나를 지켜주는 힘인 것을, 문학의 거름인 것을 새삼 깨닫는다. 강인한 생명의 뿌리를 껴안고 이젠 더불어 풀숲이 되어도 괜찮을 성 싶다.

누군가는 평생을 잘 다듬어진 글 한 편처럼 살고 싶다고 한다. 나는 하루하루를 글 한 편처럼 살고 싶다. 그러나 사는 것이 매양 수채화처럼 뼛속까지 맑고 투명하다면 얼마나 좋을까. 수필 쓰기는 늘 나를 응원하고 나를 일으켜 세우는 에너지다.

나의 정서는 달빛에 박꽃이 피는 초가삼간이다. 잘 꾸며진 문文보다 소박한 질質에 바탕을 두는 촌스러운 감성이다. 게다가 지나치게 솔직하기까지 하다. 나는 내가 쓸 수 있는 이야기만이 진정한 내 글이라고 생각한다.

보잘것없는 삶이라고 위축될 필요도 눈치 볼 필요도 없다. '내가 아니면 누가? 지금 아니면 언제?' 당당하게 표현하고 싶다. 남이 나를 어떻게 생각할까 의식하지 않으려고 한다. 나는 누구를 위하여 쓰는 것이 아니다. 내가 내 글을 쓰는 것이다. 결코, 막 쓰자는 말은 아니다. 뼈와 살 사이에 있는 틈을 젖히는 칼 다루는 법을 익히고 연마하여, 글이 예리하기는 하지만 부드러워서 사람의 마음을 상하지 않게 하며, 복잡하기는 하지만 재미있어 읽어볼 만한 '포정해우庖丁解牛' 같은 글을 쓰고 싶다. 글을 쓰며 생활할 수 있는 것은 내가 선택한 '청복'이다. 그냥 쓰고 싶어 쓰는 것이다. 글쓰기 자체가 미덕이다.

작가 나탈리는 '글쓰기는 섹스와 같다'고 했다. 오르가슴을 향하여 극한의 순간까지 함께 치닫는 맛, 오로지 다른 생각 없이 발 앞에 폭탄이 떨어지더라도 글을 쓰라고 권한다. 이제 마른 표고버섯처럼 에스트로겐이 쩍쩍 갈라지는 여인, 폭탄테러를 피할까? 아니면 당할까!

오늘도 나는 글을 쓴다. 오늘의 작가이고 싶다. 이 글을 다 쓰고 나면…, 이 글이 발표되면…, 언제나 이 글이 끝나기를 바라며 글을 쓴다. 이 글을 다 쓰고 나면 또, 무엇을 할 것인가. 날마다 골목에선 낯선 나그네가 서성인다. 나그네를 나만의 방, 원고지 안으로 불러들인다. 쓰지 않으면 불안하다. 우러러볼수록 더욱 높고 뚫고 들어갈수록 더욱 깊어, 그만두려고 해도 그만둘 수 없는 욕파불능欲罷不能의 경지. 내 안에 그대, '글' 있다.

고흐의 환생

비가 내린다. 캠핑장으로 돌아와 밥을 하는데 점점 주룩 주룩 내린다.

오늘, 아를의 '별이 빛나는 밤에'의 배경지를 시작으로, 여기저기 흩어져 있는 '해바라기' '노란 집' '정신병원' '여름정원' '도개교'까지 고흐의 발자취를 쫓아다녔다. 발목이 부러질 것 같다. 이런 날은 설익은 밥을 먹어도, 인스턴트 누룽지에 뜨거운 물을 부어 먹어도, 떡에 꿀을 바르지 않아도 꿀떡꿀떡 잘 넘어갈 것 같았다. 금방 뜸들이 마친 밥, 스테이크 한 조각 굽고 양상추와 오이를 썰어 쌈장을 얹어 목젖이 다 보이도록 폭풍흡입하는 중이다. 종일 비를 맞고 다닌 꽃송이 원피스의 낭만과 벗어 놓은 고무줄 낡은 속옷이 나른하게 널브러져 있다.

빗줄기가 거세지는가 싶더니, 천둥 번개까지 요란하다. 설거지통 버너 밥솥 물통…, 대충 끌어다 텐트 안에 들여놓고, 가부좌 틀고 앉아 밥을 먹는데, 이 무슨 날벼락인가. 텐트 바닥이 올록볼록 두더지 머리처럼 살아 움직인다. 텐트 자체가 공중부양하려는지 둥둥 뜬다. 하필이면 우리가 친 텐트 밑이 바로 물꼬다. 한쪽으로 짐들을 밀어붙이니 다른 한쪽이 불룩하게 솟는다. 나는 물풍선이 재미있어 "어머머!"라며 손뼉 쳤다.

남편이 벌떡 일어나 어디론가 나간다. 잠시 후, 야영장을 관리하는 장정 서너 명이 들이닥쳤다. 그중 매니저인 듯 보이는 남자가 한 손은 반바지 주머니에 다른 한 손은 담배를 꼬나물고 "노프라범!" 턱으로 하늘을 가리킨다. 남편은 그의 거만한 태도에 화가 났다. 장소를 바꿔 달라. 너희가 유색有色인이라고 일부러 조건이 안 좋은 곳을 빌려주는 바람에 우리가 이렇게 되었다며 목소리를 높인다. (사실 유럽 곳곳에서 아닌 척, 은근히 인종차별을 받는다.) 프랑스 남자는 "노프라범!" 자기네 잘못이 아니라는 몸짓으로 다시 한 번 어깨를 으쓱하며 또 하늘을 쳐다본다.

야영장의 물이 온통 우리 쪽으로 흐른다. 삽시간에 도랑이다. 물의 본성은 낮은 곳으로 흐른다. 아직 떠내려간 것도 텐트 안이 젖은 것도 아니니 기다리면 그칠 것이라는 말이다. 유럽인, 그들은 뼈대가 말馬처럼 뻣뻣하다. 우리처럼 쓸개와 창자를 빼놓고 고개와 허리를 숙이며 공손하게 손님 비위를 맞추지 않는다. 남편은 야영장 잔디 바닥을 맨발로 뛰어다니며, 지금 우리 텐트 안은 "스위밍풀!"이라고 소리쳤다. 때마침, '번쩍, 우르르 쾅쾅!' 천둥과 번개가 조명까지 비춰준다. 나는 입안에 미처 넘기지 못한 밥을 우물거리며 "여보, 아직 수영장 정도는 아녜요." 남편은 어쩜 나 때문에 더 화가 났을 것이다.

이곳은 남프랑스, 아를이다. 아를에서 아는 사람이라고는 오로지 미친 듯이 광기를 휘두르며 살다 간, 화가 '에스파스 반 고흐'뿐이다. 나는 금방이라도 귀를 자를 것처럼 펄펄 뛰는 남편의 편을 들었어야 했다.

유럽 사람들은 길거리에서 목소리 높이며 화내지 않는다. 그들은 부당하면 우리처럼 큰소리로 따지거나 멱살 잡지 않고, 조용히 경찰을 부른다. 우리 집 남정네만 막무가내로 "야! 이놈아, 우리는 손님이야." 그 기세가 얼마나 사나운지 장대같이 퍼붓던 빗줄기마저 슬그머니 가늘어졌다.

"야! 이놈들아, 손님이 왕인 것 몰라?" 그러나 어쩌랴? 그들은 모른다. 그들이 오라고 하지 않았다. 우리가 잠잘 곳이 필요해서 찾은 곳이다. 수요와 공급만 있을 뿐이다. 나는 남편 손에 든 젓가락부터 빼앗았다. "저 사람들은 우리나라 젓가락을 무기로 봐요." 남편의 물에 젖은 샌들을 발 앞에 놓으며 "여보, 품위를 지키세요." 주위 사람들이 우리를 신고할까 봐 겁이 났다. "여보, 김치 먹은 놈이, 고기 먹은 놈 절대 못 당해요." 그들이 우리말을 알아듣지 못하니, 나는 상냥하게 웃는 얼굴로 남편 옆에서 속삭였다.

한번 터진 봇물은 막지 못한다. 아주 익숙한 광경이다. 이곳은 지금, 목소리 큰 사람이 이기고 나이가 벼슬인 나라 한국이다. 텐트 안이 순식간에 독방이다. 우리는 싸움구경이 으뜸인데, 이들은 남의 일에 참견은 금물이다. 앞 동 텐트 차일 앞 식탁에서 밥을 먹던 프랑스 가족은 얼른 일어나 들어간다. 아이들이 호기심으로 빼꼼 내다보니, 어미가 아이들 눈을 가리며 텐트 지퍼를 올린다. 너른 야영장 안에 우리 부부만 따돌림당했다.

아~, 섬이다. '꼼작 마라.' 대적하는 중인데, 이럴 때 이곳 야영장에서 우리 텐트 평수가 가장 넓다. 유럽에서는 큰 것이 먹어준다며 남편은 원터치 작은 것을 마다하고 한국에서 큰 사이즈를 사왔다. 프랑스 남자가 어디다 급히 전화하니,

교회의 부흥회도 아닌데 할머니와 며느리 그 집 어린 아들까지 총동원했다. 타고 온 차에 텐트도 실려 있고, 매트리스도 실려 있고, 또 다른 장정도 서넛 더 왔다. 자기들의 텐트를 쳐서 우선 대피해 있으라 하고, 남편은 너희 것은 더러워서 안 쓴다고 맞섰다. 여인들은 나에게 호텔비를 줄 테니 철수하라고 한다. 그러나 나의 남편은 한 발자국도 물러서지 않는다. 꼭 평평한 다른 곳으로 옮겨달라고 버티고 서 있다.

사실 어디가 어디인 줄 알고, 처음 온 나라에서 빗속에 숙소를 옮기겠는가. 한참 후, 프랑스 남자가 남편을 보고 따라오라 한다. 새 터를 보여주고 'OK' 한 모양이다. 언제 왔었느냐는 듯 그새 비는 그치고, 저녁 햇살까지 선명하다. 그래도 한국 사람에게는 오기라는 것이 있다. 본때를 보여주려는 것이다. 나는 민망하여 커다란 이민 가방 안에 주섬주섬 이삿짐을 넣으려는데, 남편이 냅다 소리 지른다. "놔둬!" 쟤네 잘못이니 쟤들이 싸도록 놔두라는 것이다. 김칫국물 묻은 밥공기, 숟가락 젓가락, 쌈장, 고추장, 마늘장아찌…, 전기장판, 베개, 프라이팬, '쿠쿠' 소리 나는 압력밥솥, 통 넓은 속 고쟁이… 평생 한 번도 본 적이 없을 한국의 의식주衣食住 잡동사니를 그들에게 맡겼다.

울지도 웃지도 소곤대지도 소리치지도 못한 채, '— 모·든

·것·은·지·나·간·다 —' 소나기다. 한순간에 닫아버린 지성, 감성, 이성, 그것들은 잠시 휴식할 차례다. 나는 그동안 갈고 닦은 나만의 자존심, 누가 볼세라 '교양'을 잽싸게 챙겼다. 집 나가 화냥질하던 여편네가 남편에게 붙잡혀 들어가듯, 교양 보따리 하나 끌어안고 그들을 향해 "메르시|mersi" 미소 지으며, 프랑스 장정들이 새로 친 아를의 텐트 안으로 들어섰다.

압생트absinthe 술 향에 취하지 않았는데도, 그는 이내 코고는 소리가 우렁차다. 아를은 역시 아름답다. 총총 '별이 빛나는 밤'이다.

내비아씨의 프로방스

목적지만 있다. 낮에는 자동차가 다니던 도로를 토막토막 막아놓고 축제를 연다. 내비게이션Navigation은 제 본분을 다하느라 퍼포먼스하고 있는 행사장을 뚫고 지나가라 하고, 우리는 때 이른 고추잠자리가 되어 맴맴 돌고 있다.

내가 운전했느냐고? 남편이 운전대를 잡고 있다. 조수 노릇도 만만치 않다. 좌회전 우회전 신경 쓰고, 졸음을 쫓아주며 온갖 비위를 다 맞춘다. 운전자는 속도감과 성취감이라도 있지, 이게 무슨 짓인고? 나같이 고품격 에세이스트가 할 짓은 아니다. 내 앞에는 내비 화면과 차간거리, 주행선, 추월선, 앞차 뒤차만 있다. 나는 무제한 배터리가 되어야 한다.

큰소리치고 짜증 내던 그도 숙소에 도착만 하면 바로 코를 골며 잔다. 피로가 풀리면 좀 나아질 것이다. 춥다, 몹시 춥다. 야영장에 늦게 들어가면 전기를 쓸 수 없다. 전기가 없으면 전기밥솥 전기포트 전기장판이 무슨 소용인가. 자신에게 최면을 건다. '이 남자 아프면 안 되는데…, 아마 그는 견딜 수 있을 거야. 내가 아프면 더 골치 아프지.' 나의 이기심을 하나밖에 없는 슬리핑 백 속에 넣는다. '별 하나, 나 하나' 별 둘도 세지 못하고 나도 곯아떨어졌다.

유럽 사람들은 차에 선팅을 안 한다. 길가에 차를 세워놓으면 차안이 훤히 들여다보여 할 짓이 아니다. 잠시 다리를 올려놓고 쉬지도 못한다. 우리 부부야 누가 주워다 쓸 만한 물건도 안 되지만, 당장 필요한 소지품들이 문제다. 왜 유럽인들이 지하주차장을 선호하는지 알 것 같다. 내비게이션 거치대는 물론 가져갈 것이 없으면, 운전대도 뽑아간다. 이런 날, 내 뱃구레는 눈치 없이 더 꼬르륵 거린다. 마신 것도 없는데 소변도 참을 수 없다. 바꿔 넣은 휘발유와 경유의 반란처럼 부부 사이 또한 코드가 맞지 않는 날이다.

빙글빙글 로터리를 몇 바퀴 돌아 시내만 들어서면 발가락에서 쥐가 난다. 마음속으로 얼마나 브레이크를 밟았던지, 급기야 오른쪽 샌들 끈이 끊어졌다. 절뚝거린다. 남편은 나의 엄살 섞인 그 꼴이 또 보기 싫다. "옆에서 뭘 했다고 생색"을 내느냐는 타박이다. 한국에서처럼 매양 잔소리는 하지 않았지만, 한순간도 내비에서 눈을 뗄 수 없었다. 투에서 나와야 하는데, 쓰리에서 벗어 나오면, "아구!" 또는 "에이~, 후유~" 감탄과 탄식만 토해냈다. 남편은 "나는, 안 보인다!"며 버럭 소리 지른다. 모르거나 순간을 놓친 거지 분명 보이지 않은 것은 아니다. 나나 남편이나 같은 해에 태어나 같은 속도로 노안老眼을 맞이하고 있다.

앙시와 꼬모를 거쳐 알프스 쪽 터널을 나오는데, 내비가 첫 번째 로터리로 빠져나가라고 미친 듯이 열을 받는다. 그러더니 한동안 말이 없다. 시키는 대로 하지 않아 서운이야 했겠지만, 한마디 귀띔도 없이 죽어버렸다. 내비는 나의 '눈' 내비는 나의 '귀'다. 눈과 귀를 닫고 한 동네, 한 블록도 벗어날 수 없다. 우리는 아직 이탈리아에서 스위스를 거쳐 독일로 들어가 자동차를 반납해야 한다. 일정은 단 3일 남았다.

유럽에서 가장 인기 좋다는 '톰톰' 내비게이션을 샀다. 말도 글도 모르는데 내비게이션 사기는 쉬웠겠는가. 새로 산 내비를 설치하고 출발했는데 또 말썽이다. 진행 방향 화살표가 거꾸로 돌진한다. 한참을 달려도 내비의 그림은 앞을 향하지 못하고 거꾸로 곤두박질이다. 다시 돌아가 바꾸려니 내비를 샀던 밀라노 어디쯤의 대형할인점을 찾지 못하겠다. 한 시간 넘게 돌아, 돌아 겨우 찾기는 찾았는데 주차장도 상점도 헷갈린다. 방향을 맞출 때 우리나라처럼 운전대가 한 쪽으로 통일되어있으면 좀 좋을까. 왼쪽 오른쪽 핸들 방향이 뒤엉켰다. 더구나 '톰톰' 이 녀석은 친절하지 않은 놈이다. 아무래도 태생이 내 남편과 동향인가 보다. 고집불통이다. "턴, 라이트!" 이후, 3시간을 달려도 감감무소식이다. 오죽 답답했으면 뒷자리 가방 안에서 느닷없이 "웰컴 투" 쏼라쏼라 소리를 내겠는가. 어찌나 반갑든지, 가랑머리 소녀 첫사랑의 목소리다. 톰톰내비의 무뚝뚝한 횡포에 반기라도 들 듯, 사근사근한 여성내비가 살아났다.

어느 지인이 말하기를 내비게이션을 '신이 내린 선물'이라고 했다. 길이 있는 곳은 어디든 다 안다. 그러나 시키는 대로 간다고 매뉴얼이 다 맞는 것은 아니다. 둘이서 서로 기량 것 자기 목소리를 주장한다. 어디 목소리 큰 게 이기나, 말 많은 것이 이기나. 이것들을 '연놈'으로 싸잡으니, 더 말을 안 듣는다. 참다 참다 호칭을 바꿨다. 내비 '아씨'는 상냥하게 소상하고, 톰톰 '도령'은 점잖게 과묵하다. 아주 오래 전부터 익숙한 모습이다. 두 선남선녀 중 어느 임을 더 예뻐할 수 있을까. 둘 다 켜고 달린다. 남편은 과학 선생답게 두

기계의 성능을 시험하고, 아내는 어느 목소리가 더 다정하고 친절한지 감성을 본다. 톰톰도령은 고속도로로 쌩쌩 달려 가라 하고, 종알종알 내비아씨는 라벤더와 해바라기 꽃을 보며 낭만을 즐기라고 시골길로만 안내한다.

남해의 다랑논처럼 다랑이 포도밭과 중세 고성의 뾰족지붕이 레고 블록처럼 나타났다. 생뚱맞게 무슨 말인가. 후유 ~ 이제야 창밖의 풍경이 보인다는 말씀이다. 우리는 지금 라인강을 따라 굽이굽이 로렐라이 언덕을 오르는 중이다.

옛날부터 전해오는 쓸쓸한 이 말이 / 가슴 속에 그립게도 끝없이 떠오른다

구름 걷힌 하늘 아랜 고요한 라인강 / 저녁 빛이 찬란하다 로렐라이 언덕♬

프로방스 현지 시각, 저녁 6시 45분을 지나고 있다.

사 달

❀

책이 나왔다. 시중서점에 깔릴 예정이다. 어떤 모양으로 나올까. 포털 사이트 D사에 검색하니 아직 소식이 없다. 다시 N사로 검색하니 '어! 뭐지?' 책 모양의 박스 안에 '성인인 증 필요'라는 문구만 있다. 그 밑에는 빨간 표시가 있다. 저자, 출판사, 가격코드까지 다 나오는데, 표지가 없다. 얼굴 없는 책이다.

이 무슨 변고일까. 어디에다 신고할까? 거대 포털 사이트 N사에 전화는커녕, 접속하기도 쉽지 않다. 설레던 마음은 삽시간에 사라지고 소심한 나는 겁부터 난다. '아~ 까불다가…' 표제작 〈내비아씨의 프로방스〉 내용 중에 걸리는 단어가 있기는 했다. 내비게이션 기계에 아씨와 도령이라는 예우까지 해줬다. 그런데 어찌 귀신처럼 잡아냈을까? 단어를 검색해보니, 책 제목이 아예 '연놈'인 것도 버젓이 판매되고 있다.

남편이 대신 성인인증을 하고 들어가 N사에 사유서를 올렸다. 책표지 제목 목차 표사를 스캔하고, 먼저 나왔던 두 권의 책도 다 스캔하여 파일첨부를 했다. 첫 번째 책은 '현대수필문학상' 수상집이며, 두 번째 책은 '2015 문체부 우수도서'로 선정이 되었다. 책의 작가는 '유학儒學을 강의하는 도덕적(?)인 사람'이라는 내용증명을 보냈다.

무엇을 겁나는가. 나는 여태까지 살아온 사생활까지 뒤돌아본다. 책은 그 사람의 궤적이다. 〈매실의 초례청〉에서 '대낮의 햇볕이 진공상태처럼 답답하다. 동네의 개 짖는 소리도 물 흐르는 소리도 고요하다. 방아깨비가 긴 다리를 어기적댄다. 알록달록 무당벌레가 업은 듯 포개어 지나가고, 물잠자리도 덩달아 서로 꼬리를 맞대고 주위를 맴돈다. 매듭 풀잎을 뜯어 손끝으로 잡아당기니, 오린 듯 우숑로 쪼개진다. 머지않아 댓돌 위에 아기 고무신이 놓이리라.' '이 무슨 조화일까, 아직 비녀와 옷고름은 풀지도 못한 채 속곳부터 벗기려 했는가. 설탕이 몽땅 기진맥진하여 항아리 밑바닥에 굳어 있는 것이 아닌가. 밤마다 실랑이만 벌이다 날이 밝은

게 틀림없다'라는 문구로 매화 화인이 찍히기는 했다. 에로 수필이라기보다는 '낯설게 보기'의 상징 작품이라는 평자들의 칭찬도 많았었는데…, 설마 그건 아니겠지.

그렇다면 〈여자 & 남자〉일까. '한동안 진달래 시리즈 우스갯말이 유행하던 시절이 있었습니다. "진짜 달래면 주나?"로 시작하여 '저도 어언간 붓을 들어 풍류를 논할만한 진달래꽃이 되었습니다. 진달래, 진짜 달라면 주느냐고요? 내 집 아궁이에 불 지피지 않는 '집밥'만 아니라면 몽땅 드립니다. 이 가을의 낭만을!' 이 글도 작가의 관음적觀淫的 시선이 좋다고 했다. 세상을 비판하면서 세속의 소문을 능청스럽게 풍자로 전한다. 다소 무거운 주제인데도 오히려 독자가 거부감 없이 동조하게 하는 경어체 기법이라 했다. 그 무엇보다 나는 청소년 윤리 교과서를 집필한 것이 아니다.

그럼 뭘까. 혹시 〈2박 3일, 달콤하고 떫은맛〉? '남자들은 왜 자신이 집을 비우면 안 된다고 생각하는지. 중세시대 『르네상스 풍속사』에서 그들은 긴 시간 집을 비울 때, 아내에게 정조대를 채웠다. 여자들은 대문에 기대어 남편을 배웅한다. 야릇한 표정 뒤에 감춰진 손으로 뒷문을 열어 정인을 맞아들인다. 정인은 물론 복제된 정조대 열쇠쯤은 가지고 있다. 그들은 처음부터 정조대 따위는 만들지 말았어야 했다.'

'2박 3일, 2박 3일은 내게 퐁퐁 소리가 나는 와인 맛이다. 품질이 좋은 와인일수록 단맛보다 떫은맛이 강하다고 한다. 요즘 남편 앞에 나의 심기는 점점 떫어진다. 아무래도 나는 질(?) 좋은 아내가 틀림없다.' 나는 단지, 빈집에서 홀로 와인을 즐기고 싶었을 뿐이다. 한 편 한 편 곱씹어 보니, 아슬아슬한 단어와 문장이 서너 군데 숨어있기는 하다.

그렇다면 여행수필 때문인가. 인디아 카주라호 락슈마나 사원, 일명 '에로템플'의 에로틱한 조각품을 이틀 동안 보았다. 1천 가지가 넘는 체위를 더 가까이서 자세히 보려고 카메라 렌즈를 줌으로 당겨서 찍었다. 그리고 다음 날, 울타리 밖 눈높이의 철망 앞에서 한나절 더 봤다. 몇몇 동정녀를 닮은 여성 군자들이 손으로 입을 가리고 헛구역질하며 지나가는 표정을 훔쳐본 것이 말썽일까. 인문학은 상상력이 아니던가. 고문헌과 고건축을 차경借景하여, 주름잡던 번데기가 나비로 변하는 아름다움을 보아야 한다. 누에고치 시렁처럼 켜켜이 생각을 얹다 보니 억울함이 크다. 그렇다고 책 보따리를 싸 들고 다니며 독자들에게 일일이 사족을 달까. 문文이란 글과 사상이 바탕을 이룬다지만, 어찌 문학에서 해학과 풍류를 빼놓을 수 있을까.

공자께서 말씀하셨다. "사달辭達뿐이다〔辭達而已矣〕."

논어 문장 중 가장 짧다. "말은 뜻이 통하기만 할 뿐" 언어나 문장의 목적은 자기의 의사를 충분히 나타내면 그만이다. 미사여구로 풍부하고 화려함을 구하지 않는다. 군소리나 가식이 필요 없다. 말의 경제는 내가 사는 부산이 최고다. 어느 날 사직야구장에 갔더니, 상대편 선수가 우리 팀 선수 앞에서 알짱거린다. 얼마나 얄미운지 나라도 뛰어 내려가 한 대 치고 싶다. 그때 들려오는 우레와 같은 함성, "마!" "마!" 간결하고도 명석한 외마디. 내 글에는 '마'가 부족하다.

'내비아씨의 프로방스' 참하지 않은가. 그런데 어쩌자고 '19금'으로 분류되었을까. 혼자 제목을 파자破字해 본다. 내 비밀 [별당] 아씨의 프로방 [텐프로] 스 [들]. 아고~, 망측하다. 사흘 동안 탄원하여 성인인증에서 해금되었다. 남편은 아침마다 내게 문안 인사를 한다. "프로아씨, 당신 참으로 대~단하십니다. 남편과 각방을 쓰면서도 19금 수필까지 쓰시다니요." 아~, 나도 이참에 "마!" 하고 싶다. '침묵은 말실수를 줄이는 지름길. 말은 생각과 감정을 담아내는 그릇. 그걸 아무 생각 없이 대화라는 식탁 위에 올려놓으면 꼭 사달이 일어난다.' 말의 품격을 배우는 중이다.

지레 겁먹고 하마터면 꿈속의 에로까지 'Me too' 할 뻔했다.

체크인 체크아웃

결국은 사람이 하는 일이다. 모든 건 사람에게 물으면 된다. 언어의 장벽? 언어가 뭐 그리 중요한가. 베를린 장벽도 작은 망치 하나로 무너졌다. 길에 다니는 인도 사람들은 모른다. 그렇다면 어찌하겠는가. 그들 방식대로 찾고 계산하도록 맡기고 여행객은 그들만 관리하면 된다. 우리는 지갑을 열, 손님이다. 모로 가도 서울만 가면 되는 곳, 여기는 인도다.

인터넷 카페를 찾고 있었다. 숙소를 예약한 증서를 노트북에 담아왔다. 정보들이 컴퓨터 안에 있으니 서류를 보여주려면 인터넷이 연결되어야 한다. 한국에서는 그랬다. "인도가 얼마나 IT산업이 발달했는데…" 남편은 서류와 기계를 믿는다. 그건 일부 도시 일부 층의 이야기다. 우리가 무슨 외교통상부 파견근무를 나온 직원인가. 이곳은 하루 일용할 양식 짜이Chai 한 잔과 로띠Roti 빵 한 개가 급한 삶의 현장이다.

나도 알파벳 정도는 읽지만, 나도 돋보기는 있지만, 이렇게 침낭까지 짊어지고 동서남북을 좇아다니다 보면 눈치만 백단으로 늘어난다. 궁하면 통하게 되어 있다. 늘 시기가 문제다. 꼭 쓰러지기 일보 직전에야 보인다. "여보, 여기가 인터넷 카페다." 힌디어로 쓰인 간판이나 지도가 무슨 소용인가. 나의 능력은 하나다. 어디서 본 듯한 아련한 풍경. 초가집들이 많았던 나의 고향 포천사람들의 표정과 말씨와 눈빛이다. 그 눈빛 속에 상대가 무엇을 하고 싶은지, 무엇 때문에 화가 났는지, 다 보인다.

인도에 서류를 출력해 갔다고 치자. 5성급 7성급 고급 호텔이라면 몰라도 극기 훈련 차원의 배낭 여행객에게는 백지 문서나 마찬가지다. 인쇄된 종이쪼가리 사본보다 자신들 눈앞에서 손으로 꾹꾹 눌러 쓰는 기록만을 믿는다. 우리가 어느 나라에서 왔으며 어제 머물렀던 주소는 어디였는지 일일이 적어야 한다. 한 사람 것만 적고 'ㅇㅇ외 1명'은 안 된다. 성과 이름만 다를 뿐 여행목적이 같은 부부인데도, 위의 내

용을 반복해서 적으라고 한다. 그때 남편과 게스트하우스 직원의 오가는 눈빛은 대치상태다. 서로 종교와 이념이 다른 국경지대의 힌디와 이슬람권 정부요원들 같다. 짐꾼, 심부름하는 아이, 집주인 옆에 어슬렁거리는 개도 소도 쥐도 참관인이 된다. 순간순간 재빠르게 호기심과 경멸의 눈길이 스친다.

나는 아예 퍼질러 앉아서 구경한다. 무심한 표정으로 말 못 하고 글 모르는 천치 바보 멍청한 여편네의 전형적인 모습이다. 손가락 하나 까딱 않고 그들을 빤히 쳐다만 본다. 남편은 그들이 원하는 문서를 적는다. 가늘게 내리깐 눈과 한일자의 꾹 다문 입, 압도적인 분위기에 나 같은 건 쫓아 들어왔는지조차 신경도 안 쓴다. 안중에도 없다. 그들 눈에는 오로지 남편의 기갈에 눌려 사는 힘없는 한국 아낙이 한심하게 보일 것이다. 그 정적의 시간이 지나면 나의 남편은 달마상의 너그러운 표정으로 내 앞에 온다. 크기가 화판만 한 숙박서류를 어부인 앞에 공손하게 내려놓는다. 나는 천천히 우아하게 여왕이 된다. '**류창희**' 내 이름 석 자를 한 획한 획 전각하듯 사인한다. 관음보살의 미소와 함께 드디어 체크인된 것이다.

그때부터 나는 나선다. 기품 있는 목소리로 "이리 오너라!"

호령한다. 그래, 내 말 좀 들어 보시게. 카피 한 장이면 될 일을 이게 무슨 불편한 짓이람. 언제 이런 번거로움을 개선할래? 그건 기계적인 일이니 그렇다 치고, 자네들이 손님을 대하는 태도가 문제다. 우리가 그런 시스템을 가동할 수 없으니, "죄송하지만 이렇게 해주십시오." 친절하면 좀 좋아. 꼭 잘못한 아이 나무라듯 범법자 문초하듯 고자세로 나오면 듣는 사람이 기분이 좋으냐, 나쁘냐? 묻고 또 묻는다. 그리고 알아들었으면 "대답해라, 오바!" 단호하게 다그친다.

나는 단락마다 또박또박 하나하나 짚어가며 한 가지 설명이 끝날 때마다 후렴처럼 대답해라, 오바!를 요구한다. 그럼 젊은 남자 매니저도 올드보이 주인도 "노프라블" "예스" "OK" 복창한다. 남편은 그게 또 못마땅하다. "이것들은 손님이 왕인 걸 모르나." 오케이는 내가 오케이 해야 하는데…, 뭐가 오케이냐며 언성이 높아진다.

종업원들은 슬슬 남편 눈치를 보며 피해 다닌다. 오가며 나와 눈이 마주치면 남편 몰래 슬쩍슬쩍 엄지손가락을 치켜든다. 나 혼자 지나다 마주치면 "헬로우 마담, 베리 나이스 패션!" "헬로우 마담, 뷰티플 스마일!"이라며 친근한 관심을 표한다. 그리고 하루나 길게는 일주일을 머물러도 남편 옆에 꼭 붙어 있는 나에게는 눈길 한번 안 준다. 떠나는 날, 숙박

료를 내는 사무적인 일이 다 끝나면 처음에 그랬던 것처럼 종업원까지 서너 명이 또 둘러선다. 그때야 나를 보고 아쉬운 듯, "굿바이" 인사하며 내가 하던 말투, (나는 영어는 한 마디도 안 했다. 힌디어도 한 적이 없다. 언제나 또박또박 한국말로 한다. 그래도 그들은 모국어처럼 찰떡같이 알아듣는다.) 내가 하던 몸짓을 그대로 흉내 내며 "이리 오너라~" "대답해라, 오바!" 오케이! 노프라범 또 즐겁다. 자이살메르에서도 카주라호에서도 아그라에서도 바라나시에서도 지역과 숙소의 크기와 주인은 달라도, 한결같이 내게 그렇게 우정의 악수를 청한다. 나는 흔쾌히 그들의 손을 맞잡는다. 남편은 또 펄펄, 펄쩍 띈다. 인도 남자와의 신체접촉은 성추행이라며 붉으락푸르락 흥분한다.

남편은 냉철한 이성으로 숫자를 지켜야 하고, 나는 온화한 마음으로 감성을 지켜야 한다. 우리 부부의 인사이드 경제와 아웃사이드 외교로 나뉜 역할이다. 어쩌랴, 열이 머리 끝까지 쳐 올라가도 이미 체크아웃되었다.

별을 품은 그대

"친구들과 사이좋게 지내고, 입은 닫고 지갑은 열고…, 수업시간에 카톡 하다가 핸드폰 빼앗기지 말고, 선생님께 엉뚱한 질문하지 말고." 말고, 말고는 내가 공항에서 K 선생에게 당부하는 말이다.

그가 군대 입대하는 날도 그랬었다. 부산에 사는 남학생을 서울에 사는 여학생이 대전역에서 만나 논산훈련소로 데려다주었다. 입대 당일까지 여학생 앞에서 무게 잡느라 더벅머리 장발이었다. 그가 상사에게 밉보일까 봐 나는 애를 태웠다.

아들이 새 운동화와 가방을 사 왔다. 자식이 아비에게 마련해주는 입학선물이다. 먼저 가방에 붙은 태극문양부터 떼어냈다. 위험한 요소를 없애야 한다. 국제적으로 한국의 장년 남자가 가장 위험하다는 말을 들은 적이 있다. 세계 소매치기나 사기꾼에게 표적이라고 한다. 신용카드보다 현금을 선호하고, 말보다 고함을, 듣기보다 지시를 일삼던 세대다. 이미 기력이 쇠하였으면서도 그는 누가 봐도 객기로 큰소리치는 전형적인 대한민국 남성이다.

그런 그가 지금 물설고 말 설은 낯선 땅에 간다. 왜? 가는가. 가족의 생계를 위해 경제활동을 하러 가는 것이 아니다. 그러니 말릴 수가 없다. 그는 30년 넘게 근무했다. 그동안 흰머리와 주름의 훈장뿐만 아니라 두 아이를 낳아 인구증가에 국민의 의무를 다했고, 아이들을 분리독립 시켰으며, 이 땅의 청소년들을 일선에서 지도했다. 그런데 문득, 하던 일이 적성에 맞지 않았다고 한다. 그렇다. 직업과 꿈은 다르다. 그는 지금 적성을 찾으러 어학연수 가는 중이다.

남편, K 선생은 일제강점기와 전쟁을 겪은 엄한 부모님 밑에서 태어났다. 사내는 모름지기 강해야 한다. 베이비붐 세대이니 어쨌든 생존하여 누구보다 잘사는 것이 목표였을 것이다. 뭔가 잘못하면 부모님은 옥상 드럼통에 물을 채워 엄동설한에 벌거벗고 물속에 들어가는 벌을 주었다고 한다. 학교에서는 획일적인 "엎드려 뻗쳐!" 각목 세례를 받았고, 유신정권 시대에 전투경찰로 부마사태에 투입되어 군홧발에 밟히는 수모를 당했던 세대다. 아직 '응답하라! 1975'가 나오지 않았을 뿐이다. 그의 청춘이 그렇게 지나갔다. 기계처럼 일하던 그에게 마땅히 포상휴가를 주어야 한다. 국가에서 마다하면 아내인 내가 지원해줘야 한다.

나는 비교적 자유롭게 자랐다. 사방이 풀꽃 향기로 사람과 동물, 곤충과 꽃이 어우러진 아련한 풍경화다. 산골 마을 집성촌의 손이 귀한 증손녀로 태어나 다정하고 따뜻하게 자랐다. 누구에게 야단맞지 않고 얽매이지 않고 구속당해본 적이 없다. 내가 무슨 짓을 하지 않았던 것은 순전히 내 선택이었지 누가 나를 단속한 적은 없다. 나의 성장 과정은 무엇이든 내가 선택하여 내가 실천하고 내가 책임지며 내 마음이 가는 대로 살아왔다.

그가 부릅뜨고 쳐다보던 별과 내가 긴 속눈썹 사이로 바라보던 별은 달랐다. 그가 겨울의 삭막한 도시 불빛을 보았다면, 나는 한여름 밤의 은하수를 보았다. 정서의 실마리가 실타래의 끝과 끝이다. 어머님이 돌아가신 후, 착한 며느리는 시어머님의 유지를 받들어 아침마다 식탁에서 밥상머리 교육으로 잔소리했다. 그는 나하고 사는 동안 많이 힘들었을 것이다. 그 세월 어느덧 이순耳順이 되었으니, 그도 참을 만큼 참았다.

'총량 불변의 법칙'이라는 것이 있다. 아무리 고고한척해도 개구쟁이 본성은 부릴 만큼 부려야 가라앉는다. 이왕 통과 의례라면 사춘기 정도는 부모님 슬하에서 지나고 왔으면 좀 좋았을까. 그래도 아직 몸과 정신이 성할 때 '자신에 의한, 자신만을 위한' 시간을 갖겠다는 발상이 갸륵하기는 하다.

오히려 '발광'의 시기가 늦게 찾아왔을지도 모른다. 엄마 잃은 아들의 어깨가 얼마나 내려앉는지 나는 안다. 날마다 어리광을 부리는 남편에게 열천불을 받다가도 '너의 엄마가 없어서 내가 봐준다'라며 그의 편을 들어주기 시작했다. 결국, 나의 인자한 모성애가 그의 간을 키웠다. 그로 인해 나는 뒤늦게 남편을 유학 보내는 학부형이 된 것이다.

몇 년 전, 텐트를 차에 싣고 남프랑스 프로방스지역 퐁비에뉴에 간 적이 있다. 퐁비에뉴는 알퐁스 도데의 고향이다. 도데의 작품 『풍차 방앗간 편지』의 배경 앞에서 사진을 찍을 때도 몰랐다. 도데의 문학관에 들러 방명록에 나의 꿈에 대한 감사의 메모를 해놓고 나왔다. 나는 알퐁스 도데의 「별」이 K 선생의 교과서 안에도 있었다는 사실을 헤아리지 못했다. 하필, 그날따라 풍차 앞에 비바람이 심하여 내가 입은 프로방스 스타일의 복숭앗빛 원피스 자락이 휘날렸다. 바람에 치켜 올라가는 내 치맛자락을 끌어 내리느라, 정작 그의 꼭 끼는 바짓가랑이가 흠뻑 젖는 것을 보지 못했다.

나는 그곳, 문학관에 내가 꿈꾸던 별을 내려놓고 왔는데, 어느 틈새 내 남편이 가슴에 박아왔다.

그는 지금, 꿈을 안고 비행기를 탄다. 아마도 머지않아 빛나는 별을 가슴에 달고 개선장군처럼 돌아올 것이다. 나는 그의 앞에서 언제나 별을 바라보는 '스테파네트' 아가씨가 되고 싶은데, 나의 철없는 목동은 내가 자기 엄마인 줄 아는가보다. 늘 응석받이 칭찬을 바란다. 어쩌랴! 내가 여태까지 따뜻한 밥 먹여 키운 내 남편인 것을.

미 투

그녀는 거침이 없다. 대학 시절, 군대장이 탄 지프에서 학군단 사열을 받을 정도로 배포가 컸다. 물론 남학생들도 쥐락펴락 플레어스커트 자락을 휘날렸다고 한다. 그녀의 당참은 가난도 선망이었다. 궁핍한 남학생과 사과 궤짝 앞에서 초례청을 차렸다.

결혼이 신랑·각시 소꿉놀이처럼 "너하고 나하고, 알콩달콩" 하다면 무슨 재미가 있을까. 산전수전 공중전, 사시사철 24절기 바람 잘 날이 없다. 오직 '나만 바라봐' 남편은 시골 출신의 '해바라기' 장남이다. 슬하에 아들 둘, 딸 둘 사 남매가 둘씩 셋씩 자식을 낳으니 다복이 나날이 쌓였다. 그 세월 동안 남편 한 사람만 고생하였을까. 그 시절로 돌아가면, 풋

사과 같은 젊음을 다시 준다 해도 마다할 판에 설상가상 남편이 의식을 잃었다. 매일 점심시간에 중환자실로 달려간다.

사람의 신체 중에 가장 늦게까지 주인을 지키는 기능이 청력이라고 한다. 호스로 죽을 삽입하고 배설물을 빼낸다. 중환자실 옆 침대에 지극정성인 어느 아내도 날마다 온다. 그녀는 생산업과 서비스 업무를 마치고 나비를 꿈꾸는 번데기 모양이 된 남편의 '심벌'을 정성껏 닦아드리고는 "여보, 사 · 랑 · 해 ~ 여보, 사 · 랑 · 해~" 사랑 타령을 한다. 별꼴이다. '저 사람들은 정말 사랑했을까?' '사랑, 사랑이라?' 혹시, 내 남편도 듣고 있는 것이 아닐까. 덜컥 겁이 났다. 70 평생 아무리 뒤돌아봐도 전투적으로 치열했던 자신의 부부생활에 쉽게 할 수 있는 말은 아니다. 옆에서 "여보 사랑해" 선창할 때마다 장난 삼아 남편의 귀 가까이 다가가 "미 · 투~, 미 · 투~" 장단을 맞추는데 이게 뭔가, 목울대가 울컥하다. 그 낯선 감정을 추스르며 뒤돌아섰다. 언제 왔는지 두 딸이 눈물을 줄줄 흘리며 지켜보고 서 있다. "엄마, 엄마가 아빠를 그렇게 사랑하는 줄 몰랐어요."

그날부터 "엄마, 사랑해" "할머니, 사랑해" 온 산과 들, 골짜기마다 사랑이 에코를 넣더라는 이야기다. 단지 "미투"만 했을 뿐인데, 봄이 왔다.

제4장

동지섣달 꽃 본 듯이

동지
섣달
꽃
본
듯이

맹 춘孟春

촛불로 물길을 잡을 수 있을까.

세상은 온통 출렁이고 있다. '창랑의 물이 맑으면 갓끈을 씻고, 창랑의 물이 흐리면 발을 씻겠다.' 초나라 굴원이 「어부사」에서 읊는 선비정신이다.

안색은 초췌하고 몸은 마른 나무처럼 수척한 선비가 물가에 노닐면서 세상을 노래하고 있다. 어쩌다 그 꼴이 되었는가. 세상이 온통 사리사욕에 눈이 어두워 흐려 있는데, 혼자 맑았기에 그리되었다. 참으로 딱한 양반이다. 맑으면 맑은 대로 흐리면 흐린 대로 그들을 따라 함께 출렁이지 못하고, 어찌 몸이 그 지경이 되었는가. 그는 차라리 물고기의 뱃속에서 장사를 지낼지언정, 세속의 더러운 먼지를 뒤집어 쓸 수가 없다고 하며 떠났다. 다시는 그곳 상강에서 그를 볼 수가 없었다는 이야기다.

어디에서부터 잘못되었을까?

돌 지난 바하가 아장아장 곧잘 걷는다. 아침이면 아파트에 노란 버스들이 줄지어 들어오고 나간다. 배꼽 인사와 줄서기의 기본을 배우는 어린이집 행렬이다. 아이들을 버스에 태워주러 엄마 혹은 아빠가 유모차에 동생까지 태우고 나온다. 그들 틈에 아기 돌보미 아주머니들도 있다. 나도 나가 기다린다. 그런데 어느 날부터 아이가 내 손을 잡고 기둥 뒤로 잡아끈다. 기둥 뒤에는 야쿠르트 판매원 아주머니가 있다. 친한 엄마끼리는 아이들에게 서로 사주기도 한다.

바하도 얼른 가서 줄을 선다. 어느 날은 야쿠르트를 파는 아주머니 앞에, 어느 날은 사주는 엄마 곁에, 혹은 친구 곁에 끼어 선다. "안 돼." 우린 돈을 내지 않았다고 엄하게 말하니, 그예 "앙~" 울음을 터뜨린다. '세 살 버릇 여든 간다'는 속담이 있다. 안 되는 것은 안 되는 것이다. 그 줄은 공짜와 특혜를 주는 줄이다. 말 못하는 아기도 줄을 잘 서야 야쿠르트를 얻어먹을 수 있다는 것을 눈치로 안다.

춘추전국시대 위나라 대부 왕손가가 "성주대감에게 아첨

하기보다는 차라리 부엌의 조왕신에게 아첨하라는 말이 있는데, 그 말이 무슨 뜻입니까?" 하고 묻자 공자께서 "그렇지 아니하다. 하늘에서 죄를 얻으면 더는 빌 곳이 없다." 공자께서는 천벌을 받는다고 일침을 가한다. '출세하려면 모름지기 줄을 잘 서야 한다'는 왕손가의 말이다. 하기야 배고팠던 시절, 우리도 백부나 숙부보다 밥을 푸는 고모나 숙모를 찾아가야 국물이라도 얻어먹었다. 만약 흥부가 놀부를 찾아갔더라면 어찌 되었을까. 필시 물볼기 세례나 흠씬 받았을 터, 그나마 형수를 찾아갔으니 주걱으로 뺨을 맞아도 뜯어먹을 밥풀떼기라도 있었잖은가.

당시, 왕손가는 비선秘線의 실세다. 정의실현을 한답시고 부질없이 지방마다 떠돌아다니는 주유열국을 그만하고, 자신에게 잘 보이라고 공자를 유인하는 장면이다. 정의는 바른 분배다. 그는 각종 이권과 밥그릇의 인사권을 쥐고 있다. 이에 공자께서 "하늘이 무섭지도 않으냐?"며 거절한다. 예로부터 민심民心은 천심天心이라 했거늘, 북신北辰이 제 역할을 못 하니 민중이 은하수銀河水되어 광장에서 촛불을 켠다.

비선은 거지 근성이다. 거지는 부자를 부러워하는 것이 아니라 자기보다 조금 더 동냥 받은 거지를 부러워한다고 한다. 상대를 부러워하는 가운데 거지 근성이 자꾸 자란다. 조금 많이 동냥 받은 거지는 점점 그 물에서 오만해진다. 검찰청 현관 앞에 벗겨진 프라다 신발 한 짝이 화면에 클로즈업되었다. 희대의 큰 동냥아치다운 '거지발싸개'다. 이 문전 저 문전 마구 짓밟던 도적盜賊의 신발이다.

어느 사람이 옥황상제에게 소원을 말하러 갔다. 저는 부자가 되고 싶습니다. 그래 알았다. 나가보아라. 두 번째 사람이 소원을 말했다. 저는 부는 필요 없습니다. 귀한 명예를 얻고 싶습니다. 그래 접수되었다. 세 번째 사람이 들어갔다. 저는 앞의 두 사람과는 다릅니다. 부도 명예도 원하지 않습니다. 저는 다만 여우 같은 마누라와 토끼 같은 자식들과 알콩달콩 평범하게 살고 싶습니다. "예끼! 이 사람아. 그렇게 좋은 것을 할 수 있다면, 내가 여기서 옥황상제 노릇을 하고 있겠느냐?"며 된통 호통만 듣고 쫓겨나왔다고 한다. 참으로 평범하게 살기가 어렵다.

너무도 고결하여 물에 뛰어드는 선비도, 썩은 동아줄을 붙잡고 올라가 구차하게 밥줄을 붙잡는 비선 특혜도 바라지 않는다. '검소하지만 누추하지 않고, 화려하지만 사치스럽지 않다'는 백제의 건축처럼 살고 싶다. 날마다 벽돌 쌓듯 하루, 한 달, 일 년…, 반평생을 부지런히 살다 보니, 나는 어느새 집도 있고, 차도 있고, 마주 앉아 차를 마실 커피잔도 녹차

잔도 다 있다. 물질뿐인가. 인맥의 울타리도 든든하다. 누구의 아내요, 어미요, 할머니이기도 하다. 이렇게 많은 것을 가지고도 부와 명예를 다 갖춘 사람들이 그토록 부러워한다는 글까지 쓰고 있으니, 이 또한 얼마나 고마운 소유인가.

그런데 촛불의 행진을 보며 슬며시 겁이 난다. 과연 나는 분수에 맞게 살고 있었을까. 글을 쓴다는 우쭐함으로 책상 앞에 앉아 컴퓨터를 켜고, 혹은 태블릿 PC와 스마트폰을 들고 다니며, 메일 문자 카카오톡이나 손편지로 그동안 사람의 마음을 아프게 하지는 않았었는지 자신할 수 없다. 자신의 처지에 맞게 사는 것이 검소라면, 쥐뿔도 없으면서 겉만 과하게 행하는 것은 사치라고 한다. 남의 시선을 의식하여 검소와 사치 사이에서 여태까지 관계에 인색했을지도 모른다.

"저 푸른 초원 위에 그림 같은 집을 짓고" 사랑하는 임과 함께 더불어 살고 싶다. 겨울이 춥다. 한동안 군불을 더 때야 할 것 같다. 선비 비선, 좌파 우파, 주류 비주류, 부귀 빈천, 오픈 클로즈, 북극성과 뭇별들이 한마음으로 "위하야 〔野〕! 위하여〔與〕!" 함께 건배하는 화합을 기대한다. 지금 나는 손자와 마주 앉아 봄에 뿌릴 씨앗을 고르고 있다. 워킹 맘을 돕는 황혼 육아의 일이다. 갓끈을 씻어 벼슬을

할 만한 일은 결코 아니지만, 물이 맑다. 머지않아 희망의
새싹이 움틀 것이다.

　바야흐로, 맹춘孟春이다.

아침 꽃 저녁에 줍다

꽃이 떨어졌다.

꽃이 귀하던 시절이 있었다. 온기라고는 아랫목이나 화롯불밖에 의지할 곳이 없었던 시절, 이들도 서캐도 겨드랑이털 속에서 서식하는 엄동설한, 오죽하면 반가움의 극치를 '동지섣달 꽃 본 듯이'라고 했었을까.

요즘 꽃들은 철도 없다. 온기만 있으면 헤프게 지조 없이 몇 번이고 피워낸다. 온천지 지천인 꽃. 꽃 한 송이 졌기로서니, 바람을 탓해 무엇하랴.

어느 풍류객은 떨어진 꽃잎들을 비단주머니에 담아 흙 속에 묻어주었다지. 비록 시 한 수는 건지지 못했으나, 홀로 꽃 무덤 앞에서 곡 한 번은 하였을 터….

난데없이 웬 꽃 타령인가.

전직 최고의 통치권자를 부엉이바위에 오르게 했다. 샛길이라도 있었으면 좋았으련만 전직, 전 전직, 전 전 전… 큰 어른들이 길을 닦아 놓지 못했다. 그는 막다른 절벽으로 치달았다. 쥐를 쫓아낼 때도 쥐구멍은 있게 마련이건만, 벼랑 위에 핀 무궁화 한 그루 송두리째 뽑히고 말았다.

'님아님아 별사람이 별의별 소리를 다 해도 곧이듣지 말고 짐작하여 들으소서' 여러 사람이 다 좋아해도 그들에게서 살필 것이며, 여러 사람이 다 미워해도 그들에게서 살필 것이라 했거늘. 굳건하게 견디어내지 못하고 역사의 한 페이지에 오점으로 남았다. 무엇을 옳다고 하고 무엇을 그르다고 말할 수 있을까. 먼 훗날 또 다른 시각으로 구설에 구설을 달아 주가 주를 낼 것이다. 나는 통곡은 어디 갔던지 마음으로 근조謹弔 등 하나 켜지 못하고, 매스컴으로 조문을 지켜보고 있다.

날 때는 어느 곳에서 왔으며, 갈 때는 또 어느 곳으로 가는가. 그는 생과 사가 한 조각, 구름으로 피었다가 스러지듯, 그렇게 공수래공수거로 마감하고 싶었을지도 모른다. 그렇지 않고서야 "삶과 죽음이 하나가 아닌가"라는 유언을 남겼겠는가.

그러나 아니다. 삶이 하나라면 죽음은 둘이다. 그래서 혼

魂한테 한번 백魄한테 한번, 두 번 절하지 않던가. 절 두 번 받으면 끝나는 것이 인생이다. 그는 '너무 슬퍼하지 마라'고 했다. 그래도 슬프다. 귀한 생명의 스러짐이 슬프고, 전직 대통령이라서 슬프고, 책임감 없는 극단의 방법을 선택한 분노로 더더욱 슬프다.

흑 아니면 백, 우 아니면 좌, 여 아니면 야, 중간 지점의 유연함이나 너그러움은 아예 없는듯하다. 법이란 본래 구속하기 위한 것이 아니라, 사람과 사람 사이의 조화로운 삶을 영위하려는 방법이지 않던가. 왜 우리는 나와 다르면 틀렸다고 윽박지르는가.

아쉽다. 바보 추기경은 인생은 '아쉬울 게 없다'라고 했었다. 아쉬울 것이 없어야 삶 앞에 당당할 수 있다. 성직자처럼 담박한 삶을 살아내지 못하는 나로서는, 활짝 핀 꽃을 예쁘다며 환호하던 모습과 이미 떨어진 꽃을 매정하게 쓸어버리는 야박함이 아쉽다.

도대체 그분께선 아침에 무슨 도를 들으셨을까. 조화석습朝花夕拾 즉, '아침 꽃을 저녁에 줍는'다고 했다. 봄에 떨어진 절망의 꽃은, 분명히 거름 되어 돌아오는 봄날에 다시 방방곡곡 희망의 꽃 대궐을 이룰진대. 나 또한, 서둘러 꽃잎을 줍고 있다.

동지섣달 꽃 본 듯이

진달래와 벚꽃이 속도위반에 걸렸다고 한다. '사람 유죄'로
판결이 나왔다.

그해 겨울 하얀 눈이 펑펑 내리던 날, 선산으로 꽃상여가
올라갔다. 작은아버지가 돌아가셨다. 평생 잘 살다 가신 분
이기에 상두꾼 소리도 상여를 맨 장정들도 뒤따르는 상제의
행렬도 푸근하다. 산 위에 가마솥을 걸어놓고 뱃속이 뜨끈
뜨끈한 국밥 한 그릇씩을 축제처럼 떠들썩하게 먹고 있었다.

"창희, 어딨어?" "창희, 어딨어?" "창희가 왔다고 하는
데…."

이런 민망함이라니, 내 나이 어느덧 중년인데…. 어느 남
정네가 맨 이름만 달랑 부르는가. 목소리의 주인공은 열댓

살에도 무병 바지 한쪽이 흘러내려 금방이라도 벗겨질 것만 같았다. 늘 지게에 작대기를 들고 있었는데, 그는 아직도 막대기를 짚고 있다. 헤벌린 입안에 성한 이 몇 개가 보인다. 두 귀 쫑긋 세우고 허공을 바라보며 두리번거린다. 집안 아주머니들이 빙글빙글 웃으며 "창희 아가씨, 찾는데요"라며 놀린다.

나는 그의 곁에 다가가 "여깄어요. 제가 창희에요" 동산이 대부大父가 나의 손을 잡더니 얼굴을 더듬는다. '대부'라는 말은 먼 일가로 의지할 곳은 없으면서 항렬이 높으면 대접하여 부르는 호칭이다. 나에게 동산이 대부는 할아버지뻘이다.

"공자 왈~, 맹자 왈~" 하얀 수염만 쓰다듬던 할아버지, 외지에 나가 딴살림을 차린 아버지, 청년시절에도 몸이 쇠약했던 작은아버지, 어느 한 사람도 여느 집처럼 참나무를 베어다 장작을 팰 장정이 없었으니, 아궁이 꼴이나 집안 꼴이나 꼴 베는 아이 꼴이나 궁색하기는 북서풍에 내치는 연기 같았다. 먹는 것 또한 시원치 않았으니 식솔들마저 마른 삭정이 꼴이다.

그나마 촐랑대고 들락거리는 사람은 집성촌 동네에 여남은 살의 대부들이었다. 그 작은 일꾼들이 해오는 나무 짐이 오죽했을까. 산어귀 잡목이나 주워서 지고 내려오니 허술하

기 이룰 데 없다. 그때 동산이 대부는 어린 나에게 쌀알만
한 진달래 꽃봉오리가 달린 나뭇가지를 건네주고는 했었다.
딴에는 '애기씨'에게 주는 선물이다. 아기 진달래 나뭇가지
를 칠성사이다 빈 병에 꽂아, 뒤주 위에 올려놓고 봄이 오기
를 기다렸다. 어린 마음에도 그 시간은 동토의 땅에 유배된
듯했다.

　나의 고향 포천 고모리는 춘삼월이라도 봄이 멀었다. 초가
지붕만 볼록볼록 8리나 된다는 '초가팔리'를 지나서 더 산
골짝으로 들어가야 했으니, 동짓달부터 내린 눈은 사방을
가둬놓았다. 큰댁 솟을대문에 붙은 '입춘 방'이 누렇게 변
해도, 집 떠난 대주들이 첩실을 끼고 과수원 길로 들어서지
않았으니, 그야말로 고립무원이다. 겨우내 고요하다. 누렁이
가 꼬리 치며 반길 사람도, 사납게 짖으며 쫓아낼 사람도 없
었다.

　그때, 나는 무척이나 꽃이 그리웠다. 할머니가 바가지에
옥수수를 튀긴 강냉이를 주시면, 나는 강냉이 깍지를 떼어
내고 마른 진달래 가지에 하나하나 꽂았다. 쌀뒤주 안에 쌀
은 없어도 강냉이 꽃은 피었다. 우리 집 앞을 지나는 집안
아주머니들이 사립문 사이로 들여다보며 "아유~, 셋째 댁에
는 벌써 꽃이 피었네!" 환호하면, 고드름 치기 놀이를 하는

동산이 대부와 마주 보며 웃었다. 그 강냉이 꽃도 며칠 지나면 개구쟁이 동생이 홀라당 다 빼 먹는다. 그럼 나는 또 강냉이를 꽂는다. "대한大寒이 소한小寒네 집에 놀러 왔다가 얼어 죽었다"는 소문만 무성하다.

동지섣달 긴긴밤, 할아버지는 사랑방에서 낮에 읽던 경서 經書를 덮어두고 '숙영낭자전'을 소리 내 읽으셨다. 할아버지도 봄을 기다리시는지 화롯가에서 촛농으로 꽃을 만드셨다. '아무리 궁해도 향기를 팔지 않는다'는 매화꽃을 피우는 솜씨는 할아버지와 손녀딸이 닮았다. 마루에 서너 차례 강냉이 꽃이 피고 지면, 마른 가지에서 명주처럼 얇은 진짜 진달래가 힘없이 핀다. 그 꽃 빛깔은 양지바른 산에서 피는 진분홍빛과는 사뭇 다르다. 어려서 몸이 약해 다섯 살에 겨우 걸었다는 셋째 할아버지 댁 손녀딸 빛깔이다. 가느다란 꽃대에서 하얀 냉이 꽃처럼 엉성하게 핀다.

산과 들에 종달새 울면, 냇가에 버들강아지 송사리 모두 동면에서 깨어난다. "이랴! 이랴!" 쟁기질 가래질하는 일꾼들, 소치는 아이들 모두 손발이 바쁘다. 엄마들은 산나물, 언니들은 보리밭 고랑에 달래 냉이 꽃다지 나물 캐러 나간다. 나는 볕 바른 툇마루에 앉아 꽃을 기다린다.

하루해가 점점 길어지면, 쪼그리고 앉아 나무꼬챙이로 다

식판 문양의 꽃을 그린다. 아직 글을 모르니 만날 하고 노는 짓이다. 멀리서 제 키만 한 지게 위에 연분홍빛 진달래가 벙 싯벙싯 먼저 웃는다. 나는 까치발로 뛰어 진달래꽃만 쏙 빼 들고 화동처럼 사뿐사뿐 앞서 걸었다.

그 후, 우리 집은 서울로 이사했다. 그날, 작은아버지가 가 시는 장지에서 동산이 대부가 예닐곱 살 꼬맹이 애기씨를 만난 것이다. 이산가족이 따로 없다. '동지섣달 꽃 본 듯이' 눈을 활짝 뜨고 봐야 하는데…. 정작, 볼 수가 없다. 동산이 대부는 당뇨합병증으로 시력을 잃었다고 한다. 이제 고향 마 을에는 일가친척보다 선산에 누워계신 조상의 묘가 더 많 다. 무덤가에 진달래 생강나무 조팝꽃이 꽃 대궐을 이뤄 사 시사철 문중을 지키고 있다.

산간지방에 난데없이 폭설이 내렸다는 일기예보에 친정엄 마에게 동산이 대부의 안부를 물었다. 지난겨울, 동짓달에 선산으로 올라갔다고 한다. 서둘러 핀 꽃 사태에 공연스레 나는 시름시름 꽃 멀미, 꽃 몸살을 앓고 있다. 봄꽃은 무죄 다.

설령, 거친 밥을 먹더라도

먹어도, 먹어도 나는 살이 안 찐다.

한동안, 나의 별명은 '피죽 한 그릇'이었다. 피죽 한 그릇이라는 가난한 별명에 억울해할 것도 없다. 그 당시 나는 금방이라도 쓰러질 것처럼 걸어 다녔다. 오죽하면 새댁시절 시어머니께서 대문이 부끄럽다고 말씀하셨을까.

그렇다면, 정말 사흘에 피죽 한 그릇도 제대로 못 얻어먹었을까. 다른 것은 몰라도 나는 먹는 일에는 치열하다. 점심시간에 혹시 누구를 만나면 끼니를 놓치게 될까 봐 약속도 안 한다. 한 끼만 걸러도 허리가 접히며 손발 떨림과 어지럼증마저 일어난다. 이렇듯 잘 챙겨 먹는 것에 비해 예나 지금이나 그다지 경제적인 체질은 아니다.

나의 위胃는 정확하다. 용량초과를 견디지 못한다. 양으로만 용량을 재는 것이 아니라 음식의 질도 측정한다. 칼국수나 쌈밥 정도의 소박한 밥상이라면 맛있게 먹는다. 그러나 기름진 고기를 곁들인 돌솥 밥 정도로 밥값이 일단 만 원이 넘으면, 그예 또 반응한다.

설사한다. 어떤 사람은 나를 부러워한다. 어찌하면 설사를 할 수 있느냐며 비법을 가르쳐달라고 한다. 나에게는 팥빙수와 같은 얼음도 효과적이지만, 아귀찜이나 낙지볶음 등의 매운 음식도 직방이다.

몇 년 전의 일이다. 수강생 중 어느 여성과 식사를 하게 되었다. 외모가 세련된 그녀의 자동차를 타고 바다가 훤히 내려다보이는 식당에 갔다. 2층으로 오르는 계단에 제라늄, 튤립, 페튜니아 꽃이 화사하고 실내에는 허브향이 그윽했다. 나는 그 고급스러운 분위기에 압도되고 말았다. 이윽고 잘 구운 스테이크가 나오고, 펭귄차림의 종업원이 음악의 선율에 맞춰 붉은 와인을 따라주고 있었다.

분위기로 보아 비쌀 것이라 생각하니, 아랫배가 사르르 불편해지기 시작했다. 부담스러움을 이겨내지 못하고 "오늘, 술값은 제가 낼게요"라고 말했다. 그녀는 나와 종업원의 눈길을 피하며, 아주 작은 목소리로 "선생님, 괜찮아요" 한다.

나는 어엿해지고 싶었다. "내가 술을 좋아해서 그래요. 술값은 내가 낼게요." 그날 집에 오자마자 나는 물총 설사를 했다. 와인은 요리에 덤으로 따라 나오는 것을 나는 몰랐었다.

신세를 지면 자유를 잃는다고 했던가. 나는 누가 사주는 밥을 그다지 좋아하지 않는다. 각자 오륙천 원씩 내고 밥을 먹으면 좀 좋은가. 누군가 오늘 "내가 쏜다"고 선언하는 순간부터 밥값 내는 사람의 이야기를 경청하게 된다. 그때부터 소심한 나는 '밥값은 해야 한다'라는 사명감에 쓴맛 단맛 간장肝臟의 비위를 다 맞춘다.

공자는 "거친 밥을 먹고 물을 마시고, 팔을 굽혀 베개 삼아도, 그 속에 즐거움이 있다. 의롭지 않은 부와 또 귀한 것은 나에게 뜬구름과 같다"고 했다. 분수에 맞지 않는 밥과 자리는 나에게도 뜬구름이다. 나는 요즘 그냥 편안하게 살고 싶다. 나이가 들어서도 앉을 자리, 설 자리 톡톡 털어 가리면 '저러니 살이 안 찌지.' 얄미운 여자로 보일 것 같아 어색한 자리에 곧잘 따라간다. 끼어 앉은 방석에서 얻은 후식은 '한 솥밥이 주는 정'이다. 인정에 이끌리게 된다. 그런데 먹고 나면 손가락에 밥풀만 끈적일 때가 더 많다. 말랑말랑할 때 빨리 갚아야겠다는 조급한 '청렴'이 오지랖을 펴기 때문이다.

그날도 나는 당당하게 밥을 먹고 싶어 지갑부터 꺼내 들었다. 그런데 지갑을 여니 카드만 몇 장 있다. 지난번에도 그랬었는데 또 그런 사태가 벌어졌다. "선생님, 선생님이 무슨 연예인이십니까?" 현금은 안 들고 다니고 얼굴만 들고 다닌다는 우스갯소리다. 집에 와 그 말이 재미있어 "연예인인 줄 아세요?" 마치 내가 연기자라도 된 듯 신이 나서 흉내를 내는데, 남편과 아들의 표정은 얼음장도 깰 눈초리다.

아들이 지갑을 사주고 남편은 "신사임당 여사는 부적으로 쓰고, 세종대왕으로는 동작 빠르게 밥값을 내라"며 지갑 안에 현금을 넣어준다. 마음과 상관없이 그런 내 모습이 상습범으로 비쳤을 것이라며 식구들이 몹시 서글퍼했다.

여럿이 함께 먹은 밥값을 혼자 다 내는 것도, 슬그머니 뒤로 나 앉는 것도, 깔끔하게 내 밥값만 내기도 어렵다. 어디꼭 음식뿐이겠는가. 차돌박이처럼 차갑고 매끄러운 이성理性도, 문진 같은 묵직한 지성知性도, 무조건 밥주걱 들고 퍼주는 감성感性도 마다하고 싶다.

눈칫밥으로 설사하여 얻는 S라인이 아니라도 괜찮다. H라인이나 D라인이 될지언정, 그저 마음이 맞는 사람들과 밥을 핑계 삼아 소통을 하고 싶다.

내 밥값 내가 내고, 내 마음 살찌우는 푸근한 내 밥을 먹고 싶다.

위장전입

　위장僞裝이 도마에 올랐다. 현직 대통령이 대선 후보시절, 위장전입한 사람은 쓰지 않겠다는 공약을 내세웠었다. 그러나 고위공직 후보자들은 도마에 오른 올림픽 국가대표 체조 선수들처럼 고난이도의 스릴을 보여줬다. 지금 그분들이 모두 현직에 있는 것으로 보아 위장전입은 오히려 통과의례의 스펙처럼 보인다.

　내가 교과서를 보고 성장하던 시절에는 여자 선생님도 귀했다. 내 아이들을 키울 때만 해도 "아빠, 힘내세요. 우리가 있잖아요." 넛지의 응원가를 불렀다. 요즘아이들에게 "아빠한테 이른다"는 엄포는 플라스틱 장난감 총만도 못하다. "엄마가 보고 있다"는 것이 핵무기다.

남편들은 직장에서 생활비를 벌고 아내들은 밥상머리에서 가정교육을 담당했다. 남자가 매달 생활비를 버는 동안, 여자들은 곗돈을 부어 사글세에서 전세로 집 장만까지 가정경제의 주역이 되었다. 집에서 쓸 가전제품만 골랐을까. 학군과 과외선생 입시학원 대학은 물론 어학연수와 자녀들 배우자까지 영역이 넓어졌다. 남자들은 주택마련 대출금과 학자금 대출금의 빚만 갚아주면 된다. 시선이 집 밖으로 나온 여자들은 우유와 야쿠르트 배달을 시작으로 학습지 보험 '떴다방' '뚜 마담' 등 다양한 분야에서 활발하다. 자식을 위해서 '고소영' '강부자' '서경덕' 人라인을 타고 다닌다.

"군자는 덕을 그리워하고 소인은 땅을 그리워한다. 군자는 법을 생각하고 소인은 혜택만을 생각한다"고 공자는 말했다. 장관 후보자가 자녀를 특정 초등학교에 입학시키기 위해 대한성공회 서울교구 주교좌성당 사택을 사수했다. 다른 장관 후보도 딸을 명문여고 이사장 사택으로 위장전입을 했었다. 정서적으로 보자면 맹모삼천지교의 모성애다. 그 중 한 분은 전입 당시는 덕수궁 옆의 초등학교가 그토록 인기학교가 아니었다고 말문을 막는다. 문제의 초등학교 출신들이 법조계 세력이 된지 오래다.

어느 분이 경남 창원에서 셋째 아이를 출산했더니 매달

육아지원금이 나왔다. 남편이 부산으로 발령이 나 집으로 돌아오게 되었는데, 부산은 지원금이 없다. 이사 오면서 큰아들만 주소를 옮겨놓고 지원금을 챙길 요량을 했다. 그 댁 중학생이 된 아들이 "엄마, 저는 이다음에 훌륭한 사람이 되고 싶어요"라는 말에 정신을 차렸다고 한다.

내 남편도 한옥 짓는 일을 배우고 싶어 여러 군데 알아보다가, 전액 무료인 고장을 찾아갔다. 지역 시민에게만 제공하는 프로젝트니, 주소지를 옮기면 수업료 면제를 받을 수 있다고 하여 꿈을 접었다.

몇 해 전, 어느 도서관에서 수업할 때다. 구립이라 지역의 관리를 받는 곳이다. 4~5년쯤 되었을 무렵, 높은 분이 은근히 압력을 가했다. 그 당시 나는 남구에 살고 있었는데, 해당 구로 주소를 옮겨 서류를 제출하란다. '내가 왜?' 눈치 없이 버텼더니 강좌가 폐강되었다.

이익을 위해서라면 위장전입뿐일까. 국적도 바꾼다. 꼭 정치하는 사람들만의 이야기일까? 알게 모르게 여기저기서 저질러지는 일이다. 군자와 소인의 취향이 같지 않음은 공公과 사私의 간격이다. 공사다망公私多忙이라 했던가. 바쁘기만 한가. 선과 악의 잣대가 양심에 공정하지 않으면 다 망亡한다. 현 정부에서 법과 질서를 잡겠다고 하니, 나라 일은 정치에

입문한 박사 판사 검사 변호사 '사'자 출신들이 알아서 할 것이다. 그들은 부동산 대책을 어려운 법률용어로 국민은 세금이나 잘 내라고 종용한다. 지금 내 주머니에 두 끼 밥 값 정도의 여유가 있는가? 있다면 옆에 앉은 학우에게 오늘 '밥, 사!'라는 '사'자로 문장을 마무리했다.

가을학기 종강 날, 매주 무거운 옥편까지 넣어 오시는 분이 질문이 있다며 남았다. 행색이 초췌하고 몸은 대꼬챙이처럼 깡마른 굴원의 삼려대부 같은 분이다. 귀가 어두운지 말할 때마다 고개가 한쪽으로 기울어진다. 말을 할 듯 말듯 머뭇거리다가 "지난 주, 선생님 말씀에…" 집으로 가는 길에 주민센터에 가서 자신의 등본을 떼어보니, 25번이나 주소를 옮겼다며, 다 먹고 사느라고 일거리를 찾아다녔다. 마침 집 가까운 곳에서 인문학 강좌가 있어 등록했다는 사연이 절절하다.

"사실, 나는 이 지역 사람이 아닙니다." 길 하나 사이에서 구가 갈리는 곳이라 괜찮겠거니 여겼고, 담당자도 주민증 검사를 하지 않더라고. 그런데 선생님께서 "군자와 소인으로 편 갈라" 말씀하시니…, "이익을 좇은 것이 여간 찔리는 게 아니"라며 표정이 진지하다. 나는 평소처럼 장난기를 섞어 "그럼, 청문회에 출두하시"라는 농담은 차마 못 하고, 어물

쩍 "괜찮아요"라고 했다. 그분이 나가고, 탁자 위에 강의 자료를 챙기는데 무엇을 잊은 듯 다시 오셨다. 머리를 갸우뚱하며 "정말, 괜찮겠습니까?" 반문한다.

 "저도 다른 구에서 강의하러 왔으니…" '공범'이라고 말하는데, 눈앞이 뿌연 물안개다. 하마터면 '따뜻한 돼지국밥 한 그릇' 하러 가자고, 위장胃腸전입을 권할 뻔했다.

문 양紋樣

영부인들이 청와대 입성을 하면 식기 세트부터 바꾼다고 한다. 어느 분은 일본 도자기를 수입하고, 어느 분은 군대의 상징인 초록빛 무늬를 선호했으며, 당의를 입던 분은 본차이나의 화려함을 택했다. 단순하고 세련미가 있는 흰 그릇을 사용한 분도 있었으나, 대부분 봉황에 금장 두르는 것을 선호했다.

문양을 함부로 사용하는 것은 지위를 훔치는 일이라고 했다. "장문중이 큰 거북을 두고, 기둥 끝에 산을 새기고, 대들보에는 수초무늬를 그렸으니, 어찌 그를 지혜롭다 하겠는가?" 장문중이 채나라 특산물인 큰 거북을 집에 두었다. 원래는 천자만이 종묘에 두고 대사 때마다 길흉을 점치는 용도다. 대들보 상단에 산 모양을 조각하고, 동자기둥 하단에 수초 모양을 그리는 집의 내부 장식 문양紋樣이다. 그런데 무엇이 문제인가. 산과 수초 모양은 태묘나 종묘의 장식이기 때문이다. 왕의 상징이거나 신전이다.

공자께서 '인간의 도의를 힘쓰지 않고 귀신에게 아첨하고 친압하는 것은 지혜롭지 못하다'고 하였다. 공자의 인물평은 예禮를 기준으로 한다. 그러므로 장문중의 정치적 능력이나 공적을 무시하고 신분 이상의 짓을 가혹하게 비난했다. 우리도 청와대에서 대통령이 담화문을 발표할 때 단상에만 봉황새를 그렸었다.

서민들의 혼례문화도, 폐백실에서 신랑은 왕의 상징인 용龍문양을 가슴과 양어깨에 수놓은 곤룡포를 입고, 신부는 측천무후처럼 부귀영화를 상징하는 모란꽃을 수놓은 활옷을 입는다. 가례복嘉禮服이라고는 하나 서민이 언제 한번 왕이나 왕비를 꿈꿀 수 있을까. 유럽 혹은 일본의 무사나 귀족들이 의복이나 마차에 가문의 상징인 사자나 독수리 도라지꽃 접시꽃 문양을 새겨 넣는 거와 같다.

오래전에 윤정희 백건우 부부가 흰 한복과 두루마기로 조촐한 결혼식이 화제였다. 그들은 굳이 귀족 흉내를 내지 않아도 이미 거장들이다. 그러나 서민은 무슨 문양으로 신분을 나타낼까. 백의민족답게 소복을 입고 봉숭아 채송화 백일홍 분꽃을 앞마당에 심었다. 꽃은 한철이다. 엄동설한 꽃이 필 리 없는 겨울에는 꽃을 그려 던지는 '화투'놀이를 했다. 꽃뿐인가. 사군자 십장생이 다 있다. 열두 달 그림 안에는 주문呪文처럼 소망이 들어있다.

예전에는 대학생들이 배지badge를 달고 다녔다. 봉황새 문양처럼 편 가르는 로고다. 배지가 없어졌다고 계급과 신분이 없어졌을까. 핸드백, 자동차, 아파트 등의 브랜드가 차별화한다. 내세울 가문이나 벼슬로 의지할 곳이 없는 이들은 로고를 어디다 새길까. 몸뚱어리밖에 없다. 작게는 스스로 팔과 다리에 '♡, 忍耐, 차카게살자' 크게는 등판에 용무늬를 새겨 가죽 곤룡포를 입는다. 문신文身이다.

신세대는 영어식 표현으로 '타투Tattoo'라고 한다. 요즘은 타투가 또래집단 버킷리스트 중 여름패션의 아이템이라고 한다. 문신의 어감은 형벌 같고, 타투는 개성을 표현하는 예술 같다. 취업과 미래가 불확실한 청춘들에게 심리적 안정을 준다니 어쩌겠는가. 그들의 행위는 앤디 워홀을 뛰어넘는 "내가 곧 '대중'이다"고 표현하는 검은 피카소 장미셸 바스키아의 외침이다. 인종차별 빈곤 같은 낙서그래픽은 '요술왕관' 사인처럼 예술로 거리를 활보한다.

네팔 페와호숫가 끝자락에 히피들이 많다. 그들의 머리 모양과 옷차림이 처음에는 낯설더니 볼수록 정이 간다. 어느 날 과다한 피어싱piercing과 문신이 가득한 청년들 틈에 여자 아이를 만났다. 팔과 손가락 하나하나 귀밑 목덜미까지 부챗살처럼 문신이 다채롭다. 다가가서 "예쁘다!"고 하니, '웬 동양 꼰대 아줌마가?' 하는 눈초리다. 놀림을 받았다고 여긴 모양이다. 사진을 같이 찍자고 하니, 너희 나라 아이들도 타투를 하느냐고 묻는다. "당연!"하다며 엄지손가락을 추켜올렸더니 갖은 포즈를 취해준다.

그렇다. 나도 기지개 켜는 아이를 보다가 숨이 멎을 뻔했다. 옆구리의 문양이 삐져나왔다. 얼마의 시간이 지나 남편에게 본 것에 대하여 이실직고했다. 당장 길길이 뛰면 내가 먼저 집을 뛰쳐나가려고 했다. "김중만, 윤도현, 이효리, 허지웅, 차두리는 되고…, 왜? 내 아들은 안 되느냐?" 아이 편을 든다. 진정, 문화 인류학적 발언일까? 아니면 문신 앞에 겁먹은 아비의 굴복인가. "성인이고, 군 복무도 마쳤고…" 아들의 문제라며 타투새김처럼 콕콕 찔러 말한다.

'옥자'라는 영화에서 통역 역을 맡은 스티븐 연은 '통역은 신성하다'는 문신을 보여준다. 어떤 시선으로 문신을 보느냐가 문제다. 춘추전국시대처럼 '피세'의 방편인지, 젊음의 치기인지, 예술의 장르인지, 나는 아직 모르겠다. 레바논 내전을 그린 영화 '그을린 사랑'에서 아기가 태어나자마자 점 세 개 ● ● ● 문신을 발뒤꿈치에 새겨 넣는다. 어미의 처절한 사랑과 아들의 만행에 나는 입을 틀어막으며 보았다. 과연, 신이 존재할까. 내가 본 문신 중에 가장 아팠다. 영화 내용은 차마 글로 못 쓴다.

이제 타투는 젊은이들의 전유물이 아니다. 내 엄마도 첩 떨어지라고 개명하여, 팥알만 한 새 이름을 팔에 새겼으나, 평생 효력이 없었다. 내 엄마뿐인가. 요즘은 전국의 어머니들이 전염병의 흔적처럼 눈썹 문신이 진하다. 파리 노트르담 성당 탑에 오르기 위해 줄 섰을 때, 히잡을 쓴 무슬림 여성이 내 손톱을 보면서 "헤나Henna?" 묻기에 "Yes!"라고 답했다. 그녀도 손등에 새겨진 낙원을 상징하는 꽃 모양의 헤나타투를 보여주며 환하게 웃는다. 동서고금을 막론하고 종교 이념 맹세 염원이 담긴 문양과 빛깔들, 이제 나는 손톱의 붉은 봉숭아 꽃물도 그만둘 때가 되었다. 외모도 마음도 그냥 그대로 무문無紋이고 싶다. 나에게 무문은 세월에 대한 순응이다.

글에도 문채文彩가 있다. 문리文理가 터져야 한다. 아들도 나도 글을 쓴다. 우리 모자에게 글이 무슨 커다란 부와 명예의 상징적인 문양을 선사할까. 그냥 쓰고 싶어 쓸 뿐. 편안한 마음으로 이랑과 고랑 사이의 돌멩이를 골라내고, 쉼표와 마침표를 적절하게 찍을 수 있는 문文의 이치나 터득했으면 좋겠다.

쪽박 & 대박

먼지처럼 소멸하고 싶다. 그날을 위하여 그녀는 하루 시간을 안배한다. 티브이 보기다. 인문학 지식향연, 작가들의 사생활, 세계테마기행, 걸어서 세계 속으로, 휴먼 다큐, 요리人류 등 꿈과 미덕의 시선으로 예약버튼을 누른다. 예술도 고흐나 모네의 순수회화에 채널을 맞춘다.

빠른 성공의 정석, 그는 '꾼'을 꿈꾼다. 그날을 위하여 그도 티브이를 본다. 서민갑부, 장사의 정석, 추적 60분, 사건 25시, 4차 혁명 등 숫자나 처세가 들어가야 한다. 한동안 알래스카에서 16세 손자가 91세 할아버지와 금맥을 찾는 Discovery채널에 심취해있더니, 요즘은 목숨을 담보로 암초에 걸린 난파선을 뒤지는 프로를 본다. 앤디 워홀의 브랜드

디자인처럼 자본주의는 '돈이 최고'라는 신단을 세운다.

그는 좀 더 구체적이다. 월요일마다 아버님을 모시고 식사하고 집으로 돌아오는 길, 바닷가 앞에 비상 깜빡이를 켜고 개구리주차를 한다. 작은 차 한 대가 겨우 비켜 빠져나갈 자리다. 그녀는 소심하다. 조수석에서 매번 불안하다. 뒤차가 차 빼라고 경적을 울리면 어쩌나. 마주 오는 차가 비키라고 삿대질하면 어쩌나. 빠른 걸음으로 엎어질 듯 그곳으로 뛰어들어가는 그의 뒤통수에 대고 두 손을 모은다.

그곳에서는 복권을 판다. 대한민국에서 두 번째로 당첨금이 많다는 현수막이 펄럭인다. 당신에게도 저 불빛만큼 찬란한 여생이 기다린다는 듯 광안대교 야경까지 파도의 팡파르에 맞춰 퍼레이드를 펼친다. 청춘을 겨냥하는 카페와 비어, 레스토랑 호텔 모텔 등. 우리의 비상깜빡이까지 보태지 않아도 불빛이 광란하다. 흡족한 얼굴로 차 안으로 돌아와 안전띠를 맨다. 나는 다시 두 손을 모으고 '제발, 제발…' 십수 년을 일주일마다 치르는 기도의식이다.

"안연은 거의 도에 가까운 사람이었으나, 궁핍하여 자주 쌀독이 비워졌고, 자공은 천명이나 운명을 받아들이지 않고 재물을 증식하였으나, 억측하면 자주 적중했다." 안빈낙도安

쪽박 & 대박 179

貧樂道를 실천하는 안연은 대소쿠리에 주먹밥 한 덩이와 물 한 바가지의 끼니조차도 배를 채우지 못하는 날이 많았다 [一簞食一瓢飮]. "돈 없으면 집에 가서 빈대떡이나 부쳐 먹지 ♪"라는 대중가요가 있다. 빈대인들 있었을까. 성정이 지나치게 맑고 깨끗하였으니, 빈대도 이도 벼룩도 살아남지 못했을 것이다. 그에 비해 자공은 일부러 작정하고 투자하지 않아도, 억측億測하면 난세에도 슬기롭게 돈벌이를 잘했다. 그러나 상거래에 어긋난 농단壟斷의 기록은 없다. 정권이 바뀌어도, 위장전입을 하거나 담합하지 않아도, 하룻밤 자고 일어나면 주식도 부동산도 쑥쑥 올라갔다. 두 인물 중에 누가 내 배우자라면 좋을까. 투자의 달인 자공을 마다하는 것도 용기다.

나는 어떤 사람일까. 밥 한 공기와 물 한 병 정도는 늘 있다. 하루 두 끼를 먹는 날도 없으며, 네 끼를 먹는 날도 없다. 때 되어 배를 채우면 만사가 형통이다. 어떻게 하면 더 감성적으로 낭만자락을 펼치고 오늘의 화평을 누릴까. 이 책 저 책, 이 일 저 일, 소소한 소일거리가 그때, 그때 떠오른다. 혼자 바스락거리며 하루, 이틀…, 한해, 두 해 잘도 노닌다.

그래도 로망은 있다. 일상을 소요逍遙하는 다락방이 '꿈에 그린'이다. 계단이 좀 삐거덕거려도 괜찮다. 훗날 어쩌면 깃털처럼 가벼워 바람을 타고 다니는 신선이 될지도 모른다. 그 사다리로 오르기 위해 꼼수투자로 '떴다, 방' 근처에 가본 적은 없다. 그렇다고 맹탕 경제에 멍텅구리는 아니다. 자신의 가치를 위해 매일 강의안을 검토하며 비상을 꿈꾼다.

로또를 꿈꾸는가. 로또가 당첨되면 여자들은 단칼을 뺀다고 한다. 남편하고 반반씩 삼박하게 나눠 갖고 헤어진다고 한다. 남자들은 어떨까. 이순신의 후예가 되어 "나의 행적을 아무에게도 알리지 마라." 쥐도 새도, 아내도 모르게 잠적한다고 들었다.

매주 복권을 사는 남편도 어쩌면 나와 살고 싶지 않을지도 모른다. 오뉴월 긴긴해에 다섯 달이나 먼저 태어났으며 더구나 미인도 아니다. 그런데도 아직까지 내 밥을 먹는 것으로 보아 아마 내 간절한 기도는 신통력이 있는듯하다.

그는 요즘 로또의 근처에 다다른 듯하다. 아내의 말은 절대 듣지 않는다. 직장의 관리체제에서 벗어났다. 근무하던 시절보다 퇴직 후의 일상이 더 바쁘다. 요즘 그의 카카오톡 메인 사진 옆에 문구가 있다. '휴대폰 바다 속에 있어요.' 그래서 어쩌란 말인가. 자기를 찾지 말라는 말인지, 같이 잠수를 타자는 말인지. 본격적으로 따져 보려 해도 꼭 내가 잠든

시간에 들어온다. 아무래도 그가 찾는 금괴가 바닷속에 있는 모양이다. 과한 행복은 다 먹을 수 없는 제과점과 같다는데, 진열하여 보이기만 할 뿐 하루의 한계는 세끼 식사다. 이 시대에 어디 안연은 쉽고 자공은 쉬운가.

미래를 꿈꾼다. 작은 새 둥지 같은 거처에서 병아리 모이처럼 적게 먹다가 흔적을 남기지 않고 날아가는 소요의 경지를. 부부는 오래전 초례청에서 표주박 술잔으로 합근례合졸禮를 마시고 한배를 탔다. 대박의 수장水葬이냐, 쪽박의 조장鳥葬이냐? 그녀와 그는 요즘 뜨고 있는 장례문화 해양-장과 드론-장 갈림길에 있다.

오캄

"아, 일 안 하고 싶다."

원고료로 먹고사는 사노요코의 말이다.

가방 안에 속옷과 책 한 권뿐이다. 그곳이 어디라도 괜찮다. 다만, 당당하게 출가하고 싶다. 초록은 동색이라는데 나는 무색이다. 한 분은 명랑과다이고 못난이는 우울 진창이다.

다음날 튕기듯 나왔다. 오롯이 나에게 집중하자. 본부는 합정역 3번 출구, 행동개시는 시청역부터다. 덕수궁 수문장 교대식을 따라 궁 안에서 휴식하고 돌담길을 걸어 덕수초등학교에 들어가 천문대를 본다. 관리인이 나와 묻는다. "법조계에 계세요?" 검은 투피스에 흰 블라우스, 아니면 낮은 구두에 민낯 때문일까. 덕수초등 출신이 법조계에 많아서 졸업생인 줄 알았단다. 궁 근처에 민가가 없어도 수영장 체육관정책으로 인기가 있는 학교라고 한다.

초등학교 바로 앞에 경기여고 자리가 있다. 학교는 강남으로 이사 가고, 담벼락에 담쟁이덩굴만 무성하다. 나는 글을 쓰기 전에는 몰랐다. 경기여고 나온 사람들의 글을 읽으면서 그분들의 삶과 생각을 새삼 배우는 중이다. 녹슬고 부서진 철문으로 마음 놓고 오래도록 들여다본다. 나의 태도가 얼마나 진지하였던지, 지나가던 외국 청년도 내 옆에서 코를 들이박고 들여다본다. 빈터다. 그는 내게 뭘 보느냐고 묻는다. 이곳은 대한민국 최고의 지성, 여자 하이스쿨이었던 자리라고. 주제넘은 사설이다.

정신을 차리고 보니 주위에 외국인을 포함한 몇몇이 둘러서 있다. 나는 어설펐던 콩글리시konglish가 부끄러워 서둘러 골목에서 빠져나오며 "어디에서?" 스코틀랜드에서 왔다고 한다. "바이, 바이~ 해브어 굿 타임" 헤어져 신문사 골목 칼국수 집으로 가다가 "아차차!" 같이 식사하자고 했으면 좀 좋았을까. 젓가락 사용법과 매운 김치의 맛도 보여줄걸. 대책 없이 집 나온 나의 한계, 내 그릇이 딱 고만하다.

칼국수 한 그릇을 먹고, 성공회 뜰에서 꼬박꼬박 졸며 해

바라기 한다. 자주 수녀원 앞뜰에서 차 한 잔의 여유를 누리던 곳이다. 서늘한 교당에 들어가 장엄한 파이프오르간을 올려다보다 막 지하 묘에 들어가려는데, 어느 그룹회장 선친 묘도 있다는 말에 덴 듯 총총걸음으로 나왔다. 바보, 심보가 옹졸하다. 오래 전, 알리앙스 프로세즈와 세실극장도 그대로 그 자리다. 소공동 지하상가에서 곧잘 청춘의 길을 잃던 시절이 숨바꼭질하듯 되살아난다.

시청 앞 광장, 광화문 우체국, 동아 조선 서울 신문사들도 건재하다. 무교동에서 가장 높았던 20층 빌딩에 '남강타워'라는 로고가 없었다면 온통 유리 벽으로 리모델링한 건물을 모르고 지나칠 뻔했다. 결혼 전, 7년 동안이나 매일 출퇴근하던 건물이다. 건물 뒷골목에 자주 가던 '아가페 다방'은 흔적도 없다. 나는 아가페 마담의 꼬아 올린 한복 자태에 매료되어 모닝커피를 시켰었다. 그 시절의 마담보다 지금 내 나이가 훨씬 지긋하다. 속절없는 뒤안길이다.

서울은 현재 축제 중. 탑골공원, 낙원상가. 인사동의 공방 '마비에'에 들어가 간이 의자에 앉으니, 친구가 보이차를 연방 우려 준다. 어스름 저녁이다. 목젖이 따뜻해지니 뭉쳤던 다리가 풀린다. "얘, 친구들 연락할까?" "아니, 혼자 걷고 싶어. 나 집 나왔어." "야, 너 멋지게 산다." 멋, 그렇다. 몸은 천근만근 너덜너덜해도 마음은 충만하다.

셋째 날, 종각과 종로통 청계변이 야단법석이다. 메가폰 마이크 머리띠 현수막이 빨강 파랑 노랑 초록…, 태극기와 성조기를 비롯해 각양각색이다. 어느 날 대형마트 앞을 지나가는 깃발을 보며, 세 살배기 손자가 "뭐 달라고 그러는 거예요?" 물었다. "뭘까?" "뽀르르 비타민 달라고 하는 거예요." 으스대며 알려준다. 아기에게도 뽀통령이 있듯, '세상에 나쁜 개는 없다'며 애완동물을 훈육하는 개통령도 TV에서 바쁘다. 모두 누군가에게 그 무엇을 달라고 시위한다. 그런데 나는 지금 필요한 게 없다.

내가 머무는 방에는 TV도 시계도 없다. 머리빗이 없어 며칠째 손가락으로 얼기설기 쓸어내리며 머리카락을 말린다. 슬프다고 생각했던 높은 천장도 아늑하다. 열어놓은 창문으로 햇살이 비치니 한 줄기 바람도 살랑인다. 책읽기 좋은 방이다.

『사는 게 뭐라고』 책을 펼쳤다. '일본인의 노후'를 읽었다. 어느 쪽을 펼쳐도 훌륭한 사람들뿐이다. 모든 사람이 긍정적인 데다가 앓는 소리를 하지 않는다. 이 책을 보니 자식들에게 구박받고 푸념을 늘어놓는 할머니도, 교양 없는 할아버지도 없다. 정말로 다들 훌륭하다. 화창한 날씨에 읽고 있자니 더 우울해졌다.' 그렇다. 책을 쓰는 사람들은 어쩜 그리도 인성이 다 훌륭할까.

넷째 날, 광화문을 지나 경복궁 앞 현대미술관 뒤뜰에 앉았다. 햇살도 나른하게 한갓지다. 내가 자라던 서울, 궁핍했던 서울이 이토록 고요하고 너그러웠던가. 스무 살 무렵, 나는 서울만 벗어나면 살 것 같았었는데, 돌고 돌아 화갑華甲이 지난 요즘은 돌아만 가면 살 것 같다. 관계에서 고립되고 싶다. 곳곳을 배회해도 나를 필요로 하는 사람이 없으니 세상이 마냥 화사하다.

출가 나흘 만에 돌아왔다. 발칵 뒤집힐 줄 알았다. 아무도 그 무엇도 묻지 않는다. 그대로 일상이다. 억울하다. 무정하다. 그런데 외려 마음이 잔잔하다. 여태까지 혼자 펜스 룰을 치고 애면글면했다. 이 낯선 느낌? "오우~ 그래, OKLM!" 드디어 내가 나를 찾은 것이다.

나의 오캄을 위하여! "아, 일하고 싶다."

* 오캄 : 프랑스어로 '고요한', '한적한'을 뜻하는 말로, 스트레스를 받지 않고 심신이 편안한 상태. 또는 그러한 삶을 추구하는 경향.

타타타, 메타

꿈이 무엇이었을까. 처음에는 내가 입고 싶은 옷을 그렸다. 나중에는 친구들이 원하는 스타일로 맞췄다. 중학교 시절, 내가 하던 짓이 디자이너였다. 로망roman이 내게로 온 것일까.

원고청탁에 맞춰, 테마수필 아포리즘수필 여행수필 독서수필 실험수필 퓨전수필 수화수필 논어수필 유학수필…, 이번에는 수필을 수필로 기술하거나 분석하는 메타수필을 쓰란다. 예나 지금이나 나는 수필의 부표가 없다. 줏대 없이 표류 중이다.

수필을 액션action이라고 생각했다. 어떤 변고가 닥칠 때마다 "오우~, 글감!" 종군작가가 된다. 어려움이 오히려 발전하는 기회다. 긍정마인드로 전환하면 견뎌낼 힘이 생긴다.

쉼 없이 몇 두레박씩 퍼 올리니 흙탕물이 나오고 바닥이 드러났다. 내 행위에 정신이 팔려 내 순서가 오기만을 기다렸다. 보물찾기 놀이처럼 남보다 먼저 '유레카!' 발표하는 것을 잘하는 짓인 줄 알았다.

여기저기서 이름을 불러주니 폼나게 잘 쓰고 싶었다. 디자인과 색상에 멋을 내고 주머니와 단추 리본과 코사지도 붙였으니, 크리스마스트리와 다를 바가 없다.

재미니즘에 노닐었다. 나에게 수필은 즐김이다. 책 한 권을 쓰는 동안, 눈치 없이 겁 없이 썼으니 얼마나 기고만장했었겠는가. 허물을 알면서도 글을 놓지 못함은 원고청탁이다. 청탁서는 세금고지서처럼 살아있음의 실존이다. 즐거움[樂]은 근심하는 데서 생겨야 싫증이 없나니, 즐기는 자의 고뇌와 수고로움을 내 어찌 잊겠는가.

어느 분이 내 글에 혀 짧은 비평으로 평론집을 냈다. 그 당시 나의 자존감이라고 여기던 글이 홀라당 벗겨졌다. 감히 평론가의 말씀인데, 수긍하고 존중하고 존경할 수 있어야 하는데…. 내가 작고 문인이었으면 좀 좋았을까. 살아있어 괜한 불평이다. 나는 누구에게 '방인*' 노릇은 못한다. 아니 방향키 불량으로 자격이 없다. 못났다. 언제쯤 구겨진 소갈딱지를 바로 펼 수 있을까.

어느 날, K팝 스타 서바이벌 프로그램을 봤다. 뮤지션 JYP는 음정 박자 기교가 좋은 사람을 오디션에서 탈락시킨다. "너 지금, 노래 잘 하는 것 자랑하러 나왔냐?" 관중이 공감해야지, 객석에 구경꾼만 많으면 '광대'라는 지적이다. 쌍벽을 이루던 YG는 그날, 뭐라 했을까. "뻔-한 것을 뻔-하지 않게, 유치한 것을 유치하지 않게" 하란다. 어떻게 해석하고 어떻게 행하느냐에 따라 일상이 되고 예술이 된다. 어디로 튈지 모르는 낯설기가 예술이라는데, 결국 죽도 밥도 아닌 글을 쓰며 두렵다.

나만의 브랜드를 갖자! 기성복이 아닌 근사하게 아방가르드 스타일로 입자. 슬로건은 그럴듯해도 저 살던 대로 산다. 반가의 집성촌에서 태어나 유학의 정서로 자랐다. 내게 논어는 기본 배경이요, 공자님의 말씀은 패턴이다. 살아있는 동안 나는 사람답게 살 수 있도록 예의와 염치의 옷깃을 여밀 것이다. 내 생각의 잣대로 재단하고 가위질하고 꿰맸다. 두들겨 맞을 용기를 가지고 독자들에게 다가갔다. 과분한 리뷰로 또 우쭐했다. 지병持病이다. 이럴 때는 장르를 환기해야 한다.

환기창을 어떻게 열까. 읽기다. 글쓰기가 어려울 때 방편이다. 어느 분은 책 한 권을, 혹은 글 한 편을 몽땅 필사도 한다는데, 나는 밑줄 그은 부분을 타이프로 친다. 한 권의 책에서 단어 하나만 건져도 횡재라는데 매번 소책자 한 권 분량이다. 점점 내 입과 귀만 '안다이박사' 박물군자가 된다. 남의 글은 훌륭한데 내 글만 춥다. 다시 껴입는다. 그렇다. '티끌모아 글'이라는 말이 맞다. 글을 많이 써 놓으면, 남의 글을 읽다가 비로소 내 글이 보인다. 나에게 읽기는 퇴고다.

수필이 리액션reaction임을 감지한다. 글쓰기는 독자와의 대화이다. 글을 썼다고 끝난 게 아니라 독자의 반응까지가 글의 완성이다. 다식판이 제아무리 아름다워도 틀에 새겨진 문양이다. 수필은 내면을 정화하는 도구다. 나의 꿈은 디자이너다. 기양技癢 증세가 스멀스멀 기어 올라온다. 오기의 깃발을 세운다. '틀을 깨면 잰틀'하다.

한 장의 천으로 단순하고 가볍게 하기다. 체형에 상관없이 옷감과 신체 사이 공간이 자유로워야 한다. 무엇보다 옷은 편안해야 한다. 그러나 편안함만 가지고는 안 된다. 더 편안해야 한다. 아름다움까지 더하면 옷은 잘 팔리겠지만, 디자이너는 팔리는 것을 목표로 하면 안 된다. '저렇게도 할 수 있네.' 평범함이 없어야 한다. 심심하면 재미없다. 출렁이는 파도에 몸을 맡기고 춤사위를 보일 수 있는 활동성은 있으되, 천을 아낀 느낌이 없어야 한다. 바람을 가르는 요트yacht의 세일sail처럼 날렵하게 펴서 올렸다가 접어 내린다.

그래, 나는 글 쓰는 사람이다. 글은 옷이다. 지성과 감성으로 치장해도 가장 명품은 자신감을 입는 것이다. 그러나 옷은 옷, 글은 글일 뿐! 결코, 내 삶의 됨됨이를 뛰어넘지는 못할 것이다.

수필, 부질없다. 써도 그만, 안 써도 그만이다. 그런데 그 쓸데없음이 나를 지탱하는 정체성이다. "알몸으로 태어나 옷 한 벌은 건졌"다는 타타타तथाता*다. 배냇저고리를 입은 날부터 벌거벗은 적이 없다. 글은 나를 감싸주고 품과 격을 입혀주는 혼魂이다. 수필을 벗 삼고, 수필을 스승 삼는다.

글의 스타일도 빼어나게 잘 쓰기보다 진여眞如한 것, 있는 그대로의 모습으로 한 편의 수필답게 잘살기를 꿈꾼다. 수필의 돛을 세운 항해에서 나만의 패턴을 담은 수의壽衣 한 벌 마련하고, '쓰다 가다[魄]' 그거면 됐다.

혼백의 닻을 내리는 그날까지, 타타타~ 메타!

* 方人 : 인물을 비교·논평함. 일설에는 남의 허물을 비난함.
- 漢韓大字典

* 타타타 : 진여眞如는 "있는 그대로의 것"·"꼭 그러한 것"을 뜻하는 산스크리트어 타타타(तथाता, tathātā)의 번역어이다.